빛나는 순간도
쓰라린 시간도
모두 끌어안고
긴 호흡으로
나아가기를 빕니다.

HOTEL GRAF
AND FIVE SHORT STORIES

호텔 이야기 · 임경선 단편소설집

인생의 쓴맛을 피하지 않는 우리에게

서울 남산 둘레길에 위치한 그라프 호텔은 1989년 고미술상 이유한 씨에 의해 세워진 호텔이다. 5성급 클래식 호텔로서 한때 눈부신 영광을 누리던 이 호텔은 2022년 12월 31일부로 영업을 종료하게 되었다. 이것은 그라프 호텔이 문을 닫기 전, 마지막 반년 동안 그곳에서 벌어진 이야기들이다.

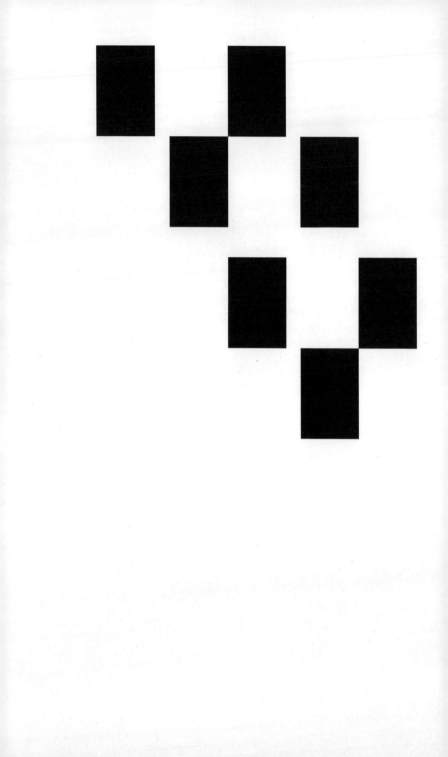

호텔에서 한 달 살기

라이프가드의 예리한 호루라기 소리가 울렸다.

가장자리가 미세하게 벗겨진 로즈우드 원목 책상 앞에 앉아 있던 두리는 노트북 자판 위의 손가락을 잠시 멈추고 창밖으로 시선을 돌렸다. 3층 객실에서는 솔비나무와 노각나무로 둘러싸인 야외 수영장이 바로 내려다보였다. 눈부신 햇빛이 바짝 깎은 연둣빛 잔디와 정직한 직사각형의 푸른빛 수영장을 시리도록 선명하게 비추었다. 라이프가드는 서로를 물속으로 밀어 넣으며 장난치는 틴에이저들에게 주의를 주고 있었다. 비치 샌들을 옆에 가지런히 벗어두고 종아리만 물에 담가 첨벙거리며 사진기로 페디큐어를 칠한 발을 찍고 있는 아가씨 뒤로, 도망 다니는 아이를 쫓아다니는 아이 엄마의 새된 목소리가 울려 퍼졌다. 데크 체어에 엎드린 사람들의 등에서 코코넛오일이 번들거렸다. 호텔은 수영장만 호황을 누리고 있었다.

풍덩!

수영장 끝자락의 가장 깊은 수심에서 야자수 무늬 수영 팬츠를 입은 청년이 수면과 평행한 자세로 낮게 다이빙을 하며 물보라를 일으켰다. 타이머 알람이 울림과 동시에 차디찬 물의 감촉이 상상되어 두리는 잠시 몸을 움찔했다. 참 시원하겠다 싶었지만 저 안에 들어갈 일은 아마도 없을 것이다.

한번 원고를 보면 두세 시간은 훌쩍 넘게 앉아 있는 탓에 가급적 매시간 타이머를 맞춰놓는 습관을 들였지만 지금은 스트레칭이 아닌 다른 이유가 있었다. 의자에서 일어남과 동시에 아랫배에서 물컹 뭔가 몸 밖으로 빠져나오는 감촉이 느껴졌다. 두리는 잰걸음으로 화장실에 들어가 서둘러 바지를 내리고 양변기에 앉았다. 갓난아기 주먹만 한 덩어리 혈이 틀에 갓 찍어낸 젤리처럼 생리대 위에 부들부들 얹혀 있었다. 이런 희한한 물체가 어떻게 한 시간에 한번꼴로 자신의 작고 깡마른 몸에서 쉬지 않고 만들어 내보내지는지 그저 신기했다. 두리는 작게 한숨을 내쉬고 짐을 풀면서 가장 먼저 화장실 변기 옆에 던져둔 생리대 꾸러미

호텔 이야기

를 뒤적였다.

　생리가 불규칙해진 건 녁 달 전부터였다. 처음에는 주기가 43일로 길어져서 슬슬 그럴 나이인가 싶었는데 섣부른 예측이었다. 생리 간격이 한번 벌어지고 나자, 그다음 달에는 보름에 걸쳐 생리를 하고, 또 열흘 뒤에는 일주일간 부정출혈이 있었다.

　산부인과를 찾았다. 진료실 의자는 매번 앉을 때마다 긴장되고 기분도 썩 유쾌하진 않았지만, 몸 구조가 그렇게 생긴 이상 어쩔 도리가 없었다.

　"최대한 아래로 내려오세요."

　검정 뿔테 안경을 쓴 여자 의사의 지시대로 몸을 내릴수록 다리는 더 벌어져서 꼭 해부 실험실의 개구리가 된 것만 같았다.

　"17.7밀리미터. 자궁내막이 아주 두껍네요."

　어둑어둑한 진료실에서 의사가 질 내 초음파 화면을 살피며, 따로 날을 잡아 자궁내막 조직 검사를 비롯, 몇 가지 추가 검사를 해야 한다고 일렀다. 접수처에서 검사 예약을 잡은 후, 수액실 침대에 누워 철분제 주사를 맞으며 두리는 산부인과에서 보낸 30분 사이, 나이를 확 먹은 것처럼 느꼈다.

2주 후에 검사 결과를 들으러 가니 자궁선근증이라는 진단명과 함께 혈액 검사에서 여성 호르몬 수치가 10이라는 결과를 받았다.

　"그게 무슨 의미죠?"

　두리는 눈을 깜빡이며 의사에게 물었다.

　"10은 여성 호르몬 분비가 없는 것과 다름없어서, 사실상 폐경의 초기 단계라고 봐야죠."

　의사의 목소리에는 약간의 직업적 애석함이 묻어 있었다.

　두리는 마음이 덜컹했다. 보편적으로 45세부터 55세 사이에 폐경이 이루어진다는 것을 알고는 있었지만 늘 늦된 편의 인생을 살아온지라 자신이 이 측면에서 얼리어답터가 될 줄은 몰랐다.

　"생리 과다의 직접적 이유는 자궁선근증이지만 폐경 전에 일시적으로 생리 양이 많아지는 증상도 생겨요. 하지만 이 호르몬 수치라면…… 곧 잠잠해질 거예요."

　참, 임신해야 하는 상황은 아니죠?라고 의사는 혹시 몰라서 묻는다고 덧붙였고 두리는 미간을 찌푸리며 고개를 옆으로 저었다.

　처방받은 지혈제를 기다리면서 여자로서의 인생이 이

렇게 끝나나 싶었다. 하지만 언제는 여자의 인생을 제대로 살기라도 했던가. 두리는 약 봉투를 가방에 넣으면서 어지간하면 약을 먹지 않기로 제멋대로 결정했다. 필연적으로 멈추는 거라면 전 과정을 눈 똑바로 뜨고 처음부터 끝까지 똑똑히 지켜보고 싶었다. 무엇이든 끝맺음을 하기 전엔 몸부림을 치는 게 자연의 이치이니. 작별을 고하기 전에는 약간의 야단법석이 필요한 거라고 생각하기로 했다. 비록 가장 많은 양을 쏟아내는 생리 이틀째에는 아무도 만나지 못하고, 가끔은 빨간색만 봐도 미쳐버릴 것 같았지만, 두리는 주어진 현실과 자연의 이치를 받아들이기로 했다.

◍

　　지난 열 달간 작업해온 영화 시나리오를 두고 회의를 하기로 한 날, 두리는 뜻밖의 제안을 받았다.

　　"최 감독, 아는 호텔에 방 잡아줄 테니 한 달간 쉬엄쉬엄하면서 이 대본 좀 봐줘."

　　두 살 연상의, 업계에서 꽤나 영향력이 있는 제작사의 기획 프로듀서인 현정이 OTT(OVER-THE-TOP) 드라마 각본을 건네면서 두리에게 각색 작업을 제안했던 것이다.

　　"이게…… 기획은 괜찮은데 대본이 좀 엉성해."

　　현정이 고개를 절레절레 흔들며 덧붙였다. 못 본 사이,

이마와 눈가에 보톡스를 너무 넣은 것 같았다. 현정의 딴소리는 다른 말로, 두리의 시나리오가 마음에 썩 들지 않았다는 뜻이었다. 완성도가 미흡한 건 두리도 알고 있었다. 다만 오래 알고 지낸 사이인 만큼, 현정에게서 허심탄회한 의견을 듣고 나서 고쳐 쓰려던 참이었다. 현정은 감독이나 작가의 눈치를 보지 않고 가차 없이 신랄한 리뷰를 하는 걸로 유명했다. 방식은 거칠지만 돌아서서 되새겨보면 대개 적확했다. 마음의 준비를 단단히 했던 두리는 예상치 못한 전개에 맥이 빠졌다. 현정이 어울리지도 않는 상냥한 말투로 귀하다는 보이차를 내왔을 때부터 어딘가 불길했다.

"솔직히 최 감독 취향의 스토리는 아냐. 영화와 드라마는 결이 다르기도 하고⋯⋯. 하지만 최 감독만큼 글 잘 매만지는 사람이 또 없잖아."

현정은 빤히 두리와 눈맞춤을 시도하면서 말을 이어갔다.

"실은⋯⋯ 김 감독이 꼭 자기한테 감수 부탁하고 싶다고 그랬어. 살펴봐주시면 영광일 거라면서."

몇 해 전, 두리의 조연출로 일했던 김 감독은 지난봄 현정의 제작사에서 만든 첫 영화로 뜻밖의 성적을 올린 터였다.

"늦여름 휴가로 생각하고, 응? 자기 건 한숨 좀 돌리고

호텔 이야기

얘기해보자. 이참에 드라마 작업도 나쁘지 않을 거야.”

현정의 목소리가 다시 어울리지 않게 상냥해졌다.

멍한 상태로 건물 밖으로 나와서야 두리는 속에서 신물이 올라오는 것을 느꼈다. 열 달간 작업한 것에 대한 코멘트를 한 마디도 못 들은 것은 프로듀서가 화두를 피했기 때문이 아니었다. 스스로 두려워서 묻지 못했던 것이다.

쫄보.

즉각 거절하지 못하고 어리바리 말려들어간 한심함은 덤이었다.

“선배, 그건 선배가 드라마를 은근히 무시하는 경향이 있어서 그런 거예요.”

두리는 소설을 쓰는 대학 후배에게 전화해 현정의 제안을 거절하지 못한 울분을 쏟아냈으나, 후배는 ‘위로’가 아닌 ‘직설’로 현실을 상기시켰다.

“꼭 그런 건 아닌데……”

예상치 못한 응답에 두리는 말을 잘 잇지 못했다.

“까놓고 말해 소설가들이 잘 알지도 못하면서 드라마 작가 무시하는 거나 같은 거죠. 순문학이 장르문학 무시하는 것처럼.”

후배는 두리와 동종업계가 아니면서 창작을 한다는 공통분모가 있고 사는 곳이 가깝다는 이유로 가끔 동네 카페에서 만나 부담 없이 일 이야기를 나누는 사이였다. 주변의 소요에 잘 흔들리지 않는 의연한 성품이라 내키지 않는 일은 받지 말라고 딱 잘라서 호통쳐줄 줄 알았는데.

"나라면 눈 딱 감고 할 것 같은데. 우리 나이에 새로운 도전도 쉽지 않은 기회잖아요."

두리는 뭐라고 반박할 수 있을까 잠시 골똘했지만 이내 그럴 필요가 없다는 걸 알았다. 후배는 그 말에 이어 재작년에 낸 소설의 드라마 판권이 팔렸다는 소식을 조심스럽게 알렸다. 일부러 자랑처럼 들리지 않게 하려는 태도로 볼 때 판권 수입 액수가 소설을 쓰면서 한 번도 접해보지 못한 단위의 금액인 게 분명했다.

"축하해, 너무 잘됐다."

두리는 정말 진심이었지만, 더욱 진심으로 들리게끔 목소리에 한 번 더 힘을 실었다.

"고마워요, 선배. 그런데 이번에 보니까 아예 대놓고 영상화를 염두에 두고 소설을 쓰는 애들도 있더라고요. 뭐 자기네 마음이지만, 그래도 그건 좀 아니지 않아요?"

두리는 맞장구를 치는 대신 절반쯤 남은 레모네이드를 마저 들이켰다.

그라프 호텔.

지은 지 30년쯤 넘은 호텔들은 대개 이름에 '로얄', '그랜드', '팰리스', '센트럴', '임페리얼' 같은 영어 단어가 들어갔으니 독일어인 그라프(GRAF) 호텔의 이름은 당시로선 상당히 독특하게 받아들여졌을 것이다. 이름도 이름이었지만 땅값 비싼 이곳에 겨우 7층 높이의 본관 건물과 5층 높이의 별관 건물, 드넓은 잔디밭과 야외 수영장만을 두면서 면적당 수익 따위는 고려하지 않는 여유를 보인 것도 유별났다. 도심 한가운데였지만, 숲이 우거진 작은 산기슭에 위치해서 대중교통으로 쉽게 갈 수 있는 곳도 아니었다.

택시는 호텔 정문 앞에 부드럽게 멈춰 섰다. 두리는 택시에서 내려 반쯤은 체념하는 마음으로 시커먼 캐리어를 끌고 호텔 정문 앞에 섰다. 특급 호텔이 아니라 특급 감옥으로 입소하는 기분이었다. 그러나 회전문을 통과해 실내로 들어서자 오는 내내 정처 없이 가시 돋쳤던 마음은 호텔 로비의 빵빵한 냉방에 단박에 누그러졌다. 그 대신, 낯설지만 묘하게 기분 좋은 감정에 휩싸였다. 압도적으로 층고가 높은 천장, 통유리로 들어오는 채광에 기댄 낮은 조명, 로비 중앙의 풍성하고 화려한 꽃 장식, 정교한 패턴의 윌리엄

모리스 벽지, 페르시안 블루의 벨벳 천 소파 같은 것들은 규격화된 체인 호텔의 건조한 모던함과는 다른 이곳만의 분위기를 자아냈다. 영화로 치면, 제작자들이 돈 든다고 질색하는 '미술' 예산에 아낌없이 투자한 세트와도 같았다.

그라프 호텔이 올해 연말에 문을 닫는다는 것을 이미 알고 온 두리로서는 성수기의 특급 호텔치고는 로비에 사람이 적은 것을 납득했다. '신상' 좋아하는 한국 사람들에게는 '문 닫는다'는 소문이 도는 동시에 빛바랜 추억이 되는 것은 한순간이었으니까. 사람들이 알아서 멀어져가면서 빈방이 남아돌았고, 프로듀서가 한 달 숙박비를 흔쾌히 지불한 것도 이해되었다. 아마도 지금 묵고 있는 이들은 저렴한 숙박비로 야외 수영장을 이용하려는 가족이나 젊은 친구들, 습관적으로 예약한 외국인들 정도이리라. 광활한 로비의 카펫을 천천히 꾹꾹 밟으며 두리는 과거의 영광과 자존심은 여전히 포기 못 하면서도 이제는 끝을 받아들인 자들이 가지는 어떤 숙연한 공기를 감지했다.

두리는 이곳이 어쩐지 마음에 들었다. 하지만 사람 마음은 참 간사해서 또 금세 바뀌었다. 옷가지와 세면도구, 생리용품을 정리해놓고서 다른 사람이 쓴 드라마 각본의 각색을 시작하려고 창가 앞 책상에 자리 잡고 앉자, 머릿속이 새하얘졌다. 멍하니 앉아 있길 10분, 거친 파도처럼 후회가 밀려왔지만 이미 늦었다는 걸 두리도 알고 있었다.

약속한 숙제를 우선 끝내자.

그래도 각색 작업을 부탁받았으니 아직 쓸모 있다고 인정받은 셈 아닌가.

다른 사람의 글을 매만지다 보면 자신의 시나리오가 '쨍하지' 못한 이유를 타산지석처럼 깨달을지도 몰라.

나이를 먹으면 쓸데없는 고집이나 불평불만 대신 유연하게 변화에 적응해갈 줄도 알아야지.

게다가 냉정하게 생각해서 지금 무슨 다른 대안이 있겠는가. 두리가 자부하는 유일한 장점은 냉정한 자기 객관화였다. 프로듀서에게 따로 말은 안 했지만 낮에는 부탁받은 각색 작업을 하고 저녁에는 시나리오를 다시 들춰 볼 참이었다. 현정에게 수정 방향을 듣기 전에 이쪽에서도 미리 몇 가지 대안을 만들어두는 편이 분명 좋을 것이다. 시간을 아껴야 한다.

312호에서 보내는 첫날 밤, 베개의 푹신함 정도, 매트리스의 딱딱함 정도에 몸을 적응하고자 뒤척이고 있는데 난데없이 옆방에서 자잘한 소리가 들렸다. 뭐지 싶어 벽에 귀를 바짝 기대니 격렬한 사랑의 소음이었다. 기록 갱신을 눈앞에 둔 역도 선수처럼 으르렁거리는 남자와 그 호흡에 맞춰 그르렁거리는 여자. 두리는 어이가 없어서 피식 웃었다. 나이가 드니 이젠 별로 놀랄 일도 없었다. 얼굴을 베개에 푹 파묻고 잠을 청했다.

일주일은 순식간에 지나가고 호텔에서 한 달 살기, 는 서서히 제 리듬을 찾아갔다. 촬영이 들어가면 지역의 저렴한 숙소에서 장기 투숙하는 것이 일상다반사라 바뀐 잠자리에는 금세 적응했다. 혼자 지내는 것도 전혀 고역이 아니었다. 영화감독이라는 직업은 근본적으로 혼자였다. 촬영에 들어가면 수십 명의 배우와 스태프와 몇 달을 붙어서 지내지만 촬영이 끝나 모두가 흩어지면 어김없이 혼자가 되었다. 외동으로 자란 두리는 어렸을 땐 혼자인 게 싫었지만 오랜 시간 혼자 지내다 보니 그 상태에 익숙해져서 급기야는 이미 혼자인데 더 강렬하게 혼자가 될 수 있는 어딘가로 떠나기도 했다. 무수히 많은 시간들이 그렇게 흘러갔다.

일과는 오전 10시에 시작했다. 흰색 리넨 커튼 사이로 지글거리는 여름 태양 빛이 뚫고 들어와 두리를 잠에서 깨웠다. 잠시 이부자리에서 뒤척이다가 일어나 창문을 열어 환기를 시켰다. 세수를 하고 반팔 티셔츠와 청바지로 갈아입고 호텔 카드 키와 지갑을 호주머니에 챙겼다. 'PLEASE MAKE UP THE ROOM' 팻말을 문 바깥쪽 손잡이에 걸었다. 두리는 엘리베이터를 타고 바로 로비 층으로 내려가지

호텔 이야기

않고 2층에서 내려 일부러 '라이브러리'라고 불리는 라운지를 거쳤다.

　푹신한 자주색 카펫이 깔린 라이브러리는 독서를 위한 소파와 안락의자, 적당한 조도의 조명, 그리고 책들을 한가득 구비해둔 거실 같은 공간이었다. 벽에는 호텔에 투숙했던 가수, 배우, 작가 등 해외 저명인사의 흑백사진이 작은 액자로 장식되어 있었다. 아침 시간의 인기척 없는 호젓한 라이브러리를 가로지를 때면 카펫 아래 니스 칠이 된 나무 바닥에서 삐걱삐걱 소리가 났다. 라이브러리 끝자락의 나선형 계단을 돌아 로비 층으로 내려가면 프런트 데스크 앞에서 체크아웃을 하는 몇몇 사람들이 보였다.

　인근 동네 산책을 겸해 식사를 하고 호텔 방으로 돌아오면 'PLEASE MAKE UP THE ROOM' 팻말은 다시 안쪽 손잡이에 걸려 있었다. 과거의 체취가 깨끗하게 빠진 방 안에서 본연의 존재가 지워지는 개운함을 느끼며 두리는 조금은 가벼워진 마음으로 책상 앞에 앉았다. 한낮 무더위에는 나가지 않고 방 안에 머물렀다. 오후 서너 시쯤 허기가 느껴지면 미니바 아래 작은 냉장고를 열어 포도와 사과를 꺼내 먹었다.

오후 늦게 두 번째 산책을 겸한 식사를 밖에서 마치고 돌아오면 어느덧 해가 기울어지면서 2층 라이브러리의 맨 안쪽에 위치한 작은 바가 영업을 시작했다. ㄷ자 모양의 바 카운터 안쪽엔 목뒤에 타투를 새긴, 포니테일을 높게 묶은 서른 초반 정도로 보이는 까무잡잡한 피부의 바텐더가 자리를 지켰다. 밤의 호텔 바에서 일하기보다 낮의 피트니스 클럽 트레이너로 일하는 게 더 어울릴 법했다. 어쩌면 실제로 투잡을 뛰고 있을 수도 있겠다. 이틀에 한 번꼴로 들렀을 때 두리는 다른 손님은 거의 본 적이 없었지만 바텐더는 아랑곳하지 않고 민트잎 재료 손질이든 컵 닦기든 늘 뭔가로 스스로를 바쁘게 하고 있었다. 바텐더에게 침묵은 불문율인 것처럼 이쪽에서 먼저 말을 걸기 전까지는 두리를 혼자 내버려두기도 했다.

두리가 블루 라군을 주문하자 바텐더는 소리 없이 묵례했다. 그러고는 보드카, 블루 퀴라소, 레몬주스를 각각 셰이커에 넣고 45도 기울여 흔들었다. 만일 손에서 미끄러진다고 해도 손님에게 쏟아지지 않게 하기 위해서. 심장을 중심으로 상하, 상하, 셰이커를 흔드는 리드미컬한 소리만이 공간을 맴돌았다.

"여긴 한적해서 좋아요."

두리가 대수롭지 않게 툭 던지듯 말했다가 잠시 멈칫

호텔 이야기

했다. 하지만 손님이 없다, 가 꼭 나쁜 의미는 아닐 것이다.

"사람들은 너무 덥거나 너무 추운 날엔 외출하지 않거든요."

다행히 바텐더도 손님이 없는 것을 부끄럽게 여기지 않는 것 같았다.

"저, 여쭙고 싶은 게 있는데요, 이 호텔 너무 근사한데 왜 연말에 문을 닫는 거예요?"

두리는 안도하며 순수한 궁금증을 풀어놓았다.

바텐더는 셰이커의 내용물을 샴페인 잔에 따른 후, 체리와 레몬 슬라이스를 곁들여 두리 앞에 내면서 힐끗 두리를 훔쳐보았다.

"혹시 기자분이세요?"

"아니에요."

그 대답에 바텐더의 보조개가 파였다.

"대외적인 이유를 말씀드릴까요, 아니면 직원들끼리 아는 이야기를 알려드릴까요."

"둘 다요."

두리는 눈을 크게 뜨며 바로 대답했고, 바텐더는 수긍하듯 고개를 끄덕였다.

"좋아요, 우선 대외적인 이유는 영업 부진인데요, 고미술을 취급하던 오너분이 호텔에 대한 당신의 뚜렷한 주관이 있으셔서 단체 관광객 영업도 하지 않고, 소란스럽다고 식당도 메인 다이닝 하나만 두고…… 바만 두 곳이 있죠. 아, 그게 호텔은 대부분 식음료 부문에서 돈을 버는 구조거든요. 그러면서 계절마다 실내 장식과 조경에 돈을 아낌없이 쓰셨죠. 영업 손실이 날 수밖에 없는 구조였다고 해요."

"그럼 버틸 만큼 버티다가……?"

"네, 이만하면 정말 오래 버틴 거라고들 하죠. 오너는 안타깝게도 반년 전에 급성 뇌출혈로 돌아가셨지만."

"저런."

"저희끼리 알고 있는 이야기는…… 앗, 잠시만요."

이어서 대답을 하려던 찰나, 바텐더는 두리의 반대편 끝 스툴 의자에 자리를 잡은 한 노신사를 보고 두리에게 잠시 기다려달라고 눈짓으로 양해를 구했다. 지팡이를 짚고 걸어온 분이 높은 스툴 의자에 어떻게 앉으실까 두리는 다소 우려하는 눈빛으로 살폈는데 여름 양복 재킷과 모자를 단정하게 벗어 바 테이블 위에 놓으며 노신사는 더할 나위 없이 능숙하게 자리를 잡고 앉았다. 바텐더는 신속히 위스키 온더록스를 만들어 말없이 그 앞에 내주고는 두리에게 돌아왔다.

"단골손님인가 봐요."

허리를 꼿꼿하게 세우고 위스키의 향부터 음미하는 노신사를 바라보면서 두리가 물었다.

"네, 작고하신 오너의 지인이세요. 조선업을 하셨던 분

호텔 이야기

인데……. 멋있는 분들이 자주 찾아주셨죠. 좋은 시절이었어요. 아 참, 그래서 또 하나의 설은, 오너가 취향 없고 탐욕스럽기만 한 자식들에게 이곳을 남기기 싫다고, 당신의 사후 1년 안에 호텔을 철거하고 토지를 매각해서 전액 기부하겠다는 유언장을 변호사에게 남기셨다는 이야기가 있어요.”

“화끈하시네요.”

바텐더는 동의의 뜻으로 지긋이 미소를 지어 보였다.

“하지만 이런 남다른 장소가 사라진다니 참 아쉽네요.”

두리는 진심을 담아 덧붙였다.

“아쉽죠. 하지만 이해도 돼요. 변질될 바에는 차라리 존재를 지워버리고 싶은 마음이요. 이곳만큼은 바깥세상과 다른 속도로 시간이 흘러갔거든요.”

바텐더는 진지한 얼굴로 돌아와서 뚜렷하게 대답했다.

“호텔이 문을 닫으면 그다음 갈 곳은 정해두셨나요?”

연민이나 걱정의 의미로 물은 건 아니었다. 마른 수건으로 유리잔을 닦으면서 바텐더가 고개를 갸웃했다.

“모르겠어요. 일을 제대로 끝맺고 나서 생각해보려고요. 다음에 일할 곳을 미리 고민하고 준비할 것 같았으면 지금 이렇게 남아 있지도 않았겠죠.”

오너는 어쩌면 자기를 닮은 사람들만 직원으로 뽑아놓고 눈을 감았을지도 몰랐다.

가끔 자기 전, 두리는 이를 닦으며 화장실 거울에서 세상을 떠난 엄마의 얼굴을 보았다. 피로가 쌓이거나 울화가 치밀면 거울 속 얼굴은 엄마를 더 닮아 있었다. 이따금 잠자리에 들려고 어둠 속에서 새하얀 침대 시트를 들치면 민머리에 환자복을 입은 엄마의 모습도 보였다. 엄마는 병치레가 잦았고 호텔과 병원은 흰색 침구라는 공통분모가 있었다. 두리는 중학교 때 육상선수로 활약했지만 엄마가 수술로 입원을 할 때면 기술자로 해외 파견을 나간 아빠 대신 붙박이로 간병을 도맡아야 했다. 훈련을 자주 빠질 수밖에 없었던 두리는 운동을 그만두기로 했다. 코치는 무척 아쉬워했지만 잡지는 않았다. 병원 다인실의 다른 보호자나 간병인들은 어린 두리를 보며 안쓰러워했다.

"날씨도 좋고 주말인데, 우리가 엄마 돌볼 테니까 학생은 바깥바람 좀 쐬고 와."

따로 불러낼 친구가 마땅치 않았던 두리는 영화관에서 주로 시간을 보냈다. 단 몇 시간이었지만 팍팍한 현실에서 벗어날 수 있는 가장 절실한 방법이었다. 필요하다면 영화를 두 편 연이어 관람했다. 하지만 엄마의 건강은 갈수록 나빠졌고 결국 40대 후반에 유방암 말기 판정을 받았다. 갓 대학에 들어간 두리는 휴학계를 내고 근 1년을 병간호에

호텔 이야기

매달렸다. 아빠는 잠깐 귀국했다가 자진해서 먼 항구 도시로 파견근무를 나갔다. 가족의 생활비와 엄마의 병원비를 벌기 위해서라고 하지만 그것이 이유의 다가 아니라는 것을 그쯤에는 가족 모두가 알았다. 장례식을 치르고 대학에 복학했을 때, 두리는 처음으로 완전한 혼자가 되었다.

312호 침대에서는 간헐적으로 악몽도 꿨다. 꿈에서 두리는 엄마의 기저귀를 일부러 제때 갈지 않거나, 한 자세로 방치해서 욕창이 생기게 하거나, 산소 호흡기 버튼을 멋대로 조작하거나, 수액을 가장 빠른 속도로 들어가게 해서 혈관을 터지게 했다. 한번은 엄마가 기어들어가는 목소리로 짜증 내는 것을 멈추지 않아 보호자용 간이침대에 있던 메밀 베개로 엄마의 얼굴을 짓이기기도 했다. 어떨 때는 꿈이 너무 생생해서 실제로 자신이 그런 일들을 저질러놓고서 일부러 잊고 지냈던 게 아닌가 하고 가슴골의 식은땀을 손등으로 닦아냈다. 그런 날은 찬물로 세수하고 거울을 보면 문득, 너무 오래 살았다는 생각이 들었다. 그것은 누군가의 관심이나 위로를 구하기 위한 푸념이기보다 인생의 기쁨과 고통의 정점들을 이 정도면 충분히 겪었다는 받아들임이었다. 남은 인생에서 이미 겪은 것보다 더 성취하거나 바닥을 칠 가능성은 낮아 보였다. 파도는 대개 이 정도로 잔잔할 것이다. 두리는 서늘하게 자신을 바라볼 수 있는 나이가 된 것이다. 혹은 단순히 엄마가 자기보다 불과 다섯 살 많은 쉰 살에 세상을 떠나서, 자신이 지나치게 오래 산 것처럼 느끼는 건지도 모르겠지만. 행여 엄마보다 더 오래 살게 되면 엄마한테 너무 미안하고 면목이 없을 것 같았다. '귀여운 할머니가 되는 일'이 꿈이 될 수 있다니, 할머니가 된 자신을 단 한 번도 상상해본 적이 없던 두리는 그런 천진함이 신기했다. 한밤중에 깨어나 마음이 먹먹하고 답답해서 도저히 다시 잠이 안 올 것 같으면 침대에서 기어 나와 책상 앞에 앉았다. 시나리오 파일을 열어 작은 흔적이라도 묻히지 않으면, 견딜 수가 없었다. 다음 날 다시 살펴보면 그런 시각에, 그런 마음으로 쓴 글들은 늘 어딘가 괴이했다.

악몽을 꾼 다음 날은 컨디션도 엉망이었다.
'이 모든 간헐적인 악몽들은 불안한 내면의 표출이 아닐까.'
두리는 눈이 떠진 후에도 한참을 침대에 누워 관자놀이를 지압하며 생각했다. 그것은 이제 더 이상 의미 있는 것을 만들어내지 못하는 것이 아닐까 하는, 속된 말로 창작자로서 한물간 것이 아닐까 하는 두려움이었다. 한물감은 어떤 징조와 복선을 깔고 나타나는 것일까. 사람은 언제 자신이 '한물갔음'을 알게 될까. 동종업계 종사자들의 연락이 점점 뜸해지면? 주변 사람들이 나를 대하는 태도에 미

호텔 이야기

묘한 변화가 감지되면? 다른 창작자에게 밑도 끝도 없는 질투를 느끼게 되면? 늘 그 자리에 그대로 있는 것 같은데 체스 말처럼 타의로 내 위치가 다른 데로 옮겨지는 기분이면? 잡생각은 꼬리에 꼬리를 물었다.

가령 두리는 작년 늦가을에 개봉한 자신의 영화가 개봉 2주 만에 가혹한 성적으로 상영관에서 내려갔을 때, 지금은 자신에게 일을 주는 입장이 된 김 감독이 시사회를 찾아와 한 말을 기억했다.

"그래도 감독님이 현업에 꾸준히 계셔주셔서 든든하고 의지가 돼요. 저희의 롤 모델이세요."

롤 모델, 이라는 단어에 실소가 흘러나왔다. '양질의 콘텐츠' 같은 것인가.

이제는 잘나가는, 소싯적 자신의 조연출로부터 그런 말을 들어서 기분이 이상했던 자신은 꼰대였을까. 하지만 저 칭찬의 근거가 이 나이면 현업에서 빠져야 정상인데, 라는 전제를 달고 있다면 그것은 다소 문제 있는 관점이 아닌가. 혹은 상대가 그냥 좋게 좋게 한 말을 삐딱하게 듣고 짜증 내는 것 자체가 나이 듦과, 한물감, 그리고 자격지심을 역으로 인증하는 것일 수도 있었다. 아냐, 김 감독 쟤는 예전부터 지지리도 눈치가 없는 게 거슬렸지. 아니면 저거 일부러 저러는 건가? 두리는 하고 싶은 말을 꿀꺽 삼키고 한 귀로 듣고 한 귀로 흘렸다. 그게 어른이라고 생각했다.

두리는 잠시 입장을 바꾸어 자신이 생각하는 '한물간 인물'을 떠올려보기로 했다. 스스로를 거울에 비춰 보는 것에 자신이 없다면 타인을 거울삼아 바라보는 방법도 있으니까.

"두리야, 난 말이야…… 나의 때를 기다리고 있어."

장 감독이 만취해서 이 말을 했더라면 그러려니 했을 텐데 대낮에 커피를 마시면서 쌩쌩한 맨 정신으로 저 말을 했던 것이 2년 전이었다. 그리고 그의 영화가 마지막으로 개봉한 것이 7년 전이었다.

"그게 단지 지금이 아니라는 것뿐이지."

장 감독이 딸기 생크림 케이크를 큼지막하게 포크로 찍어 입에 넣으며 말했다. 생김새와는 달리 술을 한 방울도 못 마시는 그는 다디단 디저트를 사랑했다.

"기다려도 감독님의 때가 오지 않으면요?"

남은 딸기 생크림 케이크를 장 감독 앞으로 옮기며 두리는 뾰족하게 물었다. 돌려서 질문하고 싶진 않았다.

"아냐, 난 그냥 알 수 있어."

사람은 달콤한 것을 먹는 동안에는 낙천적이 되는 걸까. 아니면 지나친 확신은 깊은 절박감의 표식이었을까. 두리는 더 이상 캐묻지 않고 소리 없이 낮은 한숨만 내쉬었

호텔 이야기 ·

다. 게다가 이럴 때는 다들 하는 말이 있지 않은가. '너나 잘해.' 학생들에게 영화를 가르치는 일을 하고 있어서 생계의 압박이 없는 장 감독의 상황이 사실 자기보다 나을 수도 있다. 두리의 비관도 성급한 판단일 수 있었다. 만년 신인처럼 보이던 감독이 작품 하나로 확 주류로 편입되고, 활동이 뚝 끊겼던 감독이 불시에 화려하게 컴백하기도 하는, 부침과 이변이 심한 영화업계였다. 다시 말해 '한물감'이란 건 적어도 이 업계에서는 '상시의, 확고한, 더 이상 구제할 길이 없는 상태'가 아니지 않을까.

하지만 지난 2년 사이, 적어도 두리가 아는 한, 장 감독에게는 아무런 일, 그러니까 기다리던 '그의 때'가 오거나, 혹은 올 것 같은 징조조차 일어나지 않았다. 두리는 장 감독을 인간적으로 좋아하고 존경해왔지만 지난 연이은 작품들에서 이제는 '올드'하다는 느낌을 계속 받아왔기 때문에 딱히 놀라지는 않았다. 단지 결국 반전은 없었다는 사실에 서글픔을 느꼈다. 장 감독이 예술가로서 자신의 마지막을 순순히 먼저 인정했더라면 덜 초라해 보였을까? '난 아직 죽지 않았어!'라고 애써 강조할수록 아름다움과 멀게 느껴졌지만, 그렇다면 지금의 자신은 그때의 장 감독과 얼마나 다르다고 할 수 있을까. 자발적으로 내려오는 이들의 결기를 아름답다 상찬할 수는 있어도 끝까지 놔버리지 못하는 사람들을 비난할 수는 없었다. 우리 모두가 컨베이어벨트에 실려 저마다의 '때'를 통과하고 용도 폐기당할 운명이라면 그 누구도 한물감에서 자유로울 수 없는 게 아닌가.

'아냐, 나는 현실을 인정하지 못하는 게 아니라 아직 하고 싶은 이야기가 남아서 어쩔 수가 없는 거야……' 누가 뭐라고 하는 것도 아닌데 두리는 혼자 속으로 얼버무렸다. 일단 그 정도의 낙관에서 자신의 사고회로를 가차 없이 닫아버리기로 했다.

∞

애초의 포부와는 달리, 낮에 남의 각본을 고치고 밤에 자신의 각본을 다시 손보는 일은 상상보다 두리의 진을 빠지게 했다. 기력의 대부분은 낮의 각색 작업에 투입이 되다 보니 밤에 작업을 하려고 해도 이미 그때는 몸에 피로가 짙게 밴 상태였다.

또한 김 감독의 드라마 각본 톤에 점점 맞춰지는 상태에서 자신의 각본을 손보려고 하면 미세하게 감이 겹도는데 이게 여간 짜증 나는 게 아니었다. 전혀 다른 장르와 분위기의 원고를 동시에 살피는 일은 필연적으로 자아분열을

호텔 이야기

일으켰다. 어떨 땐 이것도 저것도 너무 하기가 싫어 진도는 못 나간 채, 다리만 계속 바꿔 꼬면서, 쓰지는 않고 보기만 하는 SNS에 들어가 기계적으로 스크롤을 했다. 전화벨 소리가 울린 걸 처음에 못 알아차렸던 것도 쓸데없는 그 일에 몰입하고 있어서였다.

벨소리가 울린 지 한참이 지나서야 정신이 퍼뜩 들었다.
"감독님, 저예요."
콧소리가 조금 섞인, 장난기 가득한 소년의 목소리가 수화기 너머에서 들렸다.

두리의 첫 번째 장편영화의 남자 주인공인 수호와 마지막으로 문자메시지를 주고받은 것이 언제였더라. 아, 작년 연말의 안부 문자. 그것은 아마도 매니저가 기계적으로 시켰을 것이다. 작년에 개봉한 영화의 VIP 시사회 때는 초대해도 오지 않았다. 서운하진 않았다. 영화를 만들기 위해 모였다가 영화 개봉 후에 연락이 뚝 끊기는 것은 영화계의 인지상정이었다. 당시 수호와 찍은 영화는 흥행에 성공하지는 못했지만 스페인 산 세바스티안 국제영화제 경쟁 부문에 초청을 받은 바 있었다. 순해 보이는 미소년의 예민한 괴짜 역할이라는 반전 매력 덕인지, 수호에겐 팬덤이 생겼고, 연기자로서의 커리어가 본격적으로 펼쳐지는 행운을 누렸다. 두리는 물론 신인이었던 수호를 오디션 캐스팅한 자기 덕이라고 생각하지 않았다. 제 복은 어디까지나 타고 나는 것.

"감독님 지금 어디세요?"

다짜고짜.

"호텔."

"……호텔이요? 감독님이 왜요?"

"작업하러 며칠 와 있어."

"그렇구나…… 저 감독님 뵙고 싶은데 혹시 지금 찾아 가도 돼요……?"

수호가 문장의 뒷말을 부드럽게 뭉개며 물었다.

"네가 왜."

"그런 서운한 말씀이 어딨어요…… 그냥 좀 상의드릴 것도 있고."

"내가 너에게 무슨 조언을 해……"

"그건 감독님 생각이고요."

수호가 바로 받아치자 두리는 슬며시 웃었다. 부드러 운 외모와는 달리 가끔 따지듯 반론을 제기하는 건 촬영 때 부터 봐왔던 수호의 모습이었다. 감독 말을 고분고분 잘 듣 기보다 아니면 아니라고 자기 생각을 밝히고 상대를 설득 해본 후, 절충 지점을 찾아가는 배우나 스태프를 두리는 존

호텔 이야기

중하는 편이었다. 스스로도 '상대를 진심으로 위해서 하는 조언'과 '상대를 내 입맛대로 통제하기 위한 조언'을 세심히 구분하고자 했다.

수호는 도착까지 30분 정도 걸릴 거라고 했다. 두리는 반바지를 청바지로, 민소매 티셔츠도 긴소매의 파란색 줄무늬 티셔츠로 갈아입었다. 거울에 비추어 보니 사시사철 만만한 외출복으로 입고 다닌 줄무늬 티셔츠가 이제는 미세하게 자신과 어울리지 않게 되었음을 실감했지만 딱히 다른 대안도 없었다. 그 차림으로 침대에 누워 수호가 오기를 기다렸다. 도착했다는 문자메시지가 오면 만나기로 한 2층 라이브러리로 내려갈 참이었다. 그런데 문자 대신 전화벨이 울렸다.

"감독님, 여기 도착했는데요⋯⋯ 사람들이 몇 명 있는데⋯⋯?"
수호가 난감하다는 듯 중얼거렸다. 그러고 보니 수호는 더 이상 예전의 그 신인 배우가 아니었다. 이제는 불편한 것은 불편하다고 말할 수 있을 정도가 된 것이다. 하긴 예전부터 수호는 사석에서의 거침없는 언동과는 달리 공개된 장소에서는 낯을 심하게 가렸고, 사람들의 주목을 받는 것을 즐기지 않았다. 한번은 야구 모자를 푹 눌러쓰고 지나가던 그에게 사진을 찍자고 졸라대는 여성 팬에게 거친 말을 해서 괴소문에 시달렸던 사건도 있었지.

"……감독님, 저 그냥 방으로 올라가면 안 돼요?"
"뭐?"
어지럽혀진 방 안이 한눈에 들어왔다.
"……감독님?"
"알았어. 312호실. 복도 맨 끝 방이야."
"야호."
뭐가 야호, 라는 걸까. 전화를 끊자마자 화장실의 생리대 꾸러미와 사용한 생리대로 가득한 쓰레기통부터 옷장 안에 숨겼다.

5분 후, 문 앞에는 귀에 커다란 헤드폰을 끼고 낡은 프린트 티셔츠에 색 바랜 청바지를 입은 수호가 서 있었다. 수호는 배낭에서 텀블러를 꺼내 달그랑달그랑 얼음 소리를 내면서 냉큼 침대 모서리에 걸터앉아 어린아이처럼 엉덩이를 튕겨 매트리스 스프링 상태를 체크했다.
"여기 매트리스, 너무 푹신한 거 아니에요?"
그가 흰색 매트리스 커버의 모서리를 반쯤 벗기고 브랜드명을 확인해보며 갸우뚱했다.
"됐고…… 무슨 일 있어?"

두리는 책상 의자에 비스듬히 앉아 다리를 꼬며 물었다.

"감독님은…… 그게 뭐예요…… 하다못해 그동안 잘 지냈냐고 먼저 물어봐주셔야죠."

수호가 텀블러를 열어 아이스커피를 한 모금 마시며 흘겨보았다. 두리는 대답 없이 가볍게 혀를 찼다.

"……근데 감독님 새 대본 쓰시는 거예요?"

수호는 책상 위에 쌓여 있는 자료와 반쯤 닫힌 맥북을 흘깃 보며 물었다.

"어, 그냥."

"여기 호텔 방에서 감독님과 이러고 있으니까 산 세바스티안 영화제에 갔던 기억이 나네요. 감독님 방에 모여서 매일 밤 술 마셨잖아요. 그때 참 신나고 좋았는데……"

수호가 두 손으로 턱을 괴고 잠시 추억을 음미하는 동안 두리는 혹시나 생리혈이 바지 어딘가로 새는 게 아닐까 걱정하면서 다리를 반대로 꼬았다.

"감독님…… 저 다음 작품에 또 써주실 거죠?"

수호가 갑자기 큰 눈망울로 두리를 빤히 쳐다보며 물었다.

"나한테 왜 그래. 넌 지금 대본들 쏟아질 거 아냐."

화장실에 지금 한번 다녀오는 편이 나을까. 아니다, 움직이는 게 더 위험해 보였다.

수호는 가까이에 있는 쿠션 하나를 집어 와 품에 끌어 안고 그 위에 다시 턱을 괴며 한숨을 지었다.

"너무 다 배역이 뻔해요…… 지겨워."

"내가 원하는 것과 사람들이 나에게 바라는 게 다를 순 있지. 그런데 때로는 사람들이 바라는 걸 하는 게 맞을 수도 있어."

두리는 의식의 흐름대로 그 말을 내뱉고서 흡, 하고 숨을 들이마셨다. 내가 원하는 것과 사람들이 바라는 것 사이에서 평생 내적 갈등을 일으키며, 사람들이 바라는 걸 하는 게 맞는다는 걸 알면서도 그렇게 안 해온 것은 그 누구도 아닌 내 얘기가 아닌가. 그래서 사람이 무슨 말을 할 때면 한 번쯤 생각하고 말하라고 했다. 눈치 빠른 수호라면 이 대목에서 '그러는 감독님은 얼마나 그렇게 살아오셨어요?' 하고 쏘아붙일 게 뻔했다.

"그럴 수도 있겠네요."

뭐라고 둘러댈지 잠시 골몰했는데 수호는 순순히 수긍했다.

입술을 삐쭉 내밀며 멀뚱히 고개를 몇 번 끄덕인 수호는 털썩 침대에 누워 기다란 두 팔을 쭉 위로 뻗었다. 다 같이 묵었던 산 세바스티안의 작은 호텔에서도 늘 서슴없이 두리의 방 침대에 자유롭게 눕던 것이 기억났다.

"후…… 공허해요."

호텔 이야기

"공허?"

"왜요, 머리에 피도 안 마른 게 그런 소리 해서 어이없으세요?"

수호가 천장을 보고 싱긋 웃으며 물었다.

"아니. 공허함은 인간의 기본 조건인걸. 다만 수호, 네가 그렇다는 게 의외라서."

"맞아요, 감독님! 제가 이런 말 하면 '뭔 소리야 네가 얼마나 잘나가고 있는데' 같은 반응들을 하니까 무슨 말을 못 하겠어요."

"공허함은 그 사람이 잘나가거나, 잘나가는 것처럼 보이는 것과 전혀 상관없어. 그런데 왜?"

수호는 잠시 눈을 비비며 어떻게 표현해야 할지를 고심하는 것처럼 보였다.

"하아…… 뭐라고 설명해야 하나…… 음…… 제가 약간 녹슬어가는 것 같아요."

"녹슬어가다니 그게 무슨 소리야, 어린애가?"

"감독님, 저 이제 안 어려요. 감독님과 작품 했을 때는 어린애 맞았고요."

수호가 몸을 옆으로 틀며 말을 이었다.

"그때는 처음이라 연기는 못해도 열정과 확신이 있었어요. 요새는 제가 뭘 하는지도 모르겠고 파삭파삭한 빈껍데기가 된 것 같아요. 지금은 다들 어설프게 제게 거짓말만

하는 것 같아서 아무도 믿을 수가 없고…… 솔직히 제 판단도 믿기가 힘들어졌어요. 알아요, 이런 말 하면 배부른 고민이라고 생각하는 거."

이젠 미리 선수를 칠 정도로 수호는 노련해져 있었다.

"배부른 소리는 아니지. 원래 사람은 잘나가고 있을 때 더 불안하고 두려운 거야."

"그래요?"

"응. 하지만 내가 네 최근 작품들 대충 봤는데 연기도 훨씬 좋아졌고, 배역들도 잘 골라왔어. 네가 어떻게 생각하든."

수호의 얼굴에 천천히 미소가 번졌다.

'너는 신선함을 잃은 대신 인기를 얻은 것뿐이야.' 두리는 속으로만 읊조렸다.

"감독님처럼 저를 있는 그대로 봐주고 이해해주는 분과 다시 작품을 하면 이런 막막한 감정이 잠잠해질까 싶었어요."

두리는 그 말에 낮게 한숨을 내쉬었다.

"수호야, 요새는 감독이 배우를 만들어내는 시대가 아니야."

"또 서운한 말. 미운 말이네요."

어린 남자애들의 응석이란.

"내가 하고 싶은 말은 네가 스스로 녹슬었다고 생각해

호텔 이야기

도 남들이 너를 바라보는 시선 또한 틀리지 않았다는 거야. 객관적으로 보면 너는 지금 가장 인기 있고 추앙받는 젊은 남자 배우 중 한 명인 거고……"

두리는 중간에 잠시 말을 멈췄다.

"……나는 한물간 감독인 거고."

뒷부분을 말하고 나서 두리는 바로 후회했다. 오랜만에 찾아온 배우의 투정을 전면으로 감당하기 버거워 입막음 차 나온 말이 결과적으로 자기 연민처럼 들리게 만들었다. 이 사실을 알아차렸을 때는 이미 늦었다. 수호가 심각한 표정으로 돌변하며 벌떡 일어나서 두리 앞으로 성큼 다가왔다.

"대체 누가 그래요, 우리 감독님한테?"

수호가 두리의 손을 끌어 잡고 격앙된 목소리로 물었다.

"……아니 그냥 내가 생각하기에……"

수호는 마치 깊은 생각에 잠긴 연극 무대의 주인공처럼 엄지와 검지로 입술을 만지작거리며 침대 앞 통로 공간을 왔다 갔다 걷기 시작했다.

"저도 이렇게 말씀드릴 수 있겠네요. 감독님이 스스로에 대해 느끼는 것도 진실이지만 남들이 감독님을 바라보는 시선도 틀린 건 아니라고요."

두리는 자신이 방금 한 말을 고스란히 되돌려받았다.

"주변을 둘러보세요, 감독님. 요샌 다들 돈 돈 돈, 너무 멋이 없어요. 장사꾼 같은 인간들만 너무 많아요. 감독이 연예인 병에 걸리지를 않나, 어떻게든 한번 히트 쳐서 빌딩 살 생각이나 하고……. 감독님은 쉽게 갈 수 있는 길을, 남들이 다 가는 길을 거부하면서 꾸준히 자기 것을 만들어가는 이 시대의 진짜 예술가라고요."

비장하게 그 멘트를 읊은 후, 수호는 다시 침대에 털썩 드러누웠다.

"아, 후련해. 역시 감독님하고는 말이 통해요."

아아, 어린 남자애들의 착각이란.

수호는 자각하지 못하겠지만, 두리는 수호가 신인 시절의 자기 자신을 만나기 위해 이곳까지 찾아왔다는 것을 물론 알고 있었다. 당시의 반짝거림은 지금이니까 발견할 수 있는 것. 두리도 수호와의 영화가 첫 장편영화라 가장 불안하던 시절이긴 매한가지였다. 이전에 단편영화들은 호평을 받았지만 장편으로 옮겨가면 그 전까지와는 전혀 다른 가혹한 평가의 영역으로 들어갔다. 애초부터 난해하다는 평을 받는 시나리오여서 영화가 시장에서 어떻게 받아들여질지 스스로도 확신을 못 했다. 관계된 많은 사람들의 호불호가 극단적으로 갈렸지만, 다행히 제작사에 손해를 끼치진 않았고, 국제영화제에 이름을 걸친 덕에 감독으

호텔 이야기

로서의 수명도 연장할 수 있었다. 돌이켜보면 그런 불안한 모험에 과감히 투신했던 자신도 어쩌면 당시의 수호만큼 이나 반짝이고 있었을지도.

수호가 청바지 뒷주머니의 휴대폰을 꺼내며 다시 침대에서 일어났다.

"에잇, 벌써 다음 스케줄 갈 시간이에요. 아무튼 감독님, 제가 드린 말씀 절대 잊으시면 안 돼요, 아셨죠? 호텔 같은 데선 늘 변사체 사고가 발생한대요. 혹시 울적하다고 이상한 짓 하지 마시고요. 감독님 혼자 센 척 다 하시지만 여린 거, 제가 다 알거든요?"

수호가 방을 나선 것은 먹구름이 급작스러운 소나기로 바뀐 오후 5시 무렵이었다. 문 앞에서 배웅하고 바로 화장실로 직행했다. 다행히 우려했던 바는 없었다. 두리는 창가로 걸어가 여름 소나기가 스콜처럼 바람을 타면서 사선으로 흩뿌리는 모습을 천천히 지켜보았다. 이제는 조금도 '힙'하지 않은 이 호텔에 그저 야외 수영장 하나 보고 찾아왔을 여름의 투숙객들은 각자의 소지품을 주워 들고 분주히 하나둘 빠져나가고 있었다. 수영장 관리인이 큰 우산을 들고 텅 빈 수영장을 오가면서 데크 체어에 널브러져 있던 일부 타월들을 수거했다. 빗줄기는 잠시 주춤하는 것 같았지만 완전히 멈추지는 않았다.

두리는 불현듯 지난 일주일간 수영장을 그저 창 너머로 구경만 했었다는 사실을 깨달았다. 시원하게 냉방이 된 방에서 주어진 일에만 몰두하는 것이 약속된 책무인 양. 심호흡을 한 번 쉬고서 전화기의 O번을 눌러 수영장으로 연결을 부탁했다.

"혹시 수영복을 빌릴 수 있을까요?"

"지금…… 말씀이십니까?"

비가 오고 있지 않느냐는 뜻이었을 것이다.

"네."

비가 오니까, 더 수영이 하고 싶어졌던 것이다. 남자 직원은 콜록, 목소리를 가다듬었다.

"평이한 검은색 원피스 수영복밖에 없습니다만, 그거라도 괜찮으시다면……?"

불특정 다수에 맞춘 가장 무난한 스타일의 수영복을 구비해둔 '멋없음'을 짐짓 송구스러워하는 남자 직원의 말투가 조금 귀여웠다.

"그걸로 충분해요."

두리가 냉큼 대답하며 수화기를 내려놓고 화장실로 다시 들어갔다. 파우치를 뒤져 예전에 사놓고 한 번도 사용해보지 않았던 탐폰을 꺼내 사용설명서를 찬찬히 읽었다. 그사이 하우스키핑 직원이 검은색 수영복을 비닐 파우치

호텔 이야기

에 담아 센스 있게 문 바깥쪽 손잡이에 걸어놓고 갔다.

수영복을 착용하고 그 위에 목욕 가운을 걸치고 맨발로 지하 1층 통로를 따라 야외 수영장으로 나갔다. 비는 여전히 흠뻑 내리고 있었고 수영장 관리인은 보이지 않았다. 이런 날씨에 누가 나와 수영을 하리라고는 생각도 못 했으리라. 코너의 사다리를 타고 입수하는데 물의 찬 기운에 닭살이 돋았으나 정신이 깨어나는 기분이 싫지가 않았다. 몸을 덥히기 위해, 두 번은 속도감 있게 자유형으로 돌고, 그 다음엔 배영으로 바꿔 천천히 물에 몸을 맡겼다. 입을 잠시 벌리고 빗방울을 입 안에 머금어도 보았다. 들어갈 때는 차가웠던 물 온도가 어느새 몸에 딱 알맞게 편안했다.

지속가능한 창작엔 무엇이 필요할까, 두리는 실눈을 뜨고 연회색과 하얀색 구름이 뒤엉켜 존재를 다투는 하늘을 올려다보았다.

고정적인 수입?

만들고 싶은 이야기를 끝없이 떠올릴 수 있는 상상력?

불굴의 의지나 확실한 인맥?

아니, 가장 필요한 것은 '무심함' 같았다. 주변의 모든 것들에 적당히 초연한 것. 사람들이 열광하는 것을 다소 식은 눈으로 바라볼 수 있는 것. 그래도 괜찮다는 것을 자연스럽게 받아들이는 것. 그렇게 스스로를 외부로부터 지키는 것, 따라서 끊임없이 시선이 안으로 향하는 것에 죄책감을 느끼지 않는 것.

　두리는 몸을 다시 뒤집어 수영장 바닥 타일이 손끝에 닿도록 최대한 깊이 잠수한 후 가능한 한 오래 호흡을 참았다. 그리고 자신이 쓴 시나리오를 다시 보면서 내내 느꼈던 불편한 감정의 실체를 더듬었다.
　'나는 무의식중에 남들이 내게 바라는 것을 쓰려고 했어.'
　인정받고 싶은 마음, 좋은 결과를 바라는 마음, 그리고 한물간 사람이 되고 싶지 않은 마음, 자신이 중요하다고 여기는 것들을 주변에서 의미 없는 것으로 치부해버릴까 봐 지레 두려워한 마음 때문이리라. 다 소용없었다. 한 번이라도 원치 않은 방향으로 시나리오를 썼다가는 그만큼 향후 '나의 것'을 쓸 수 있는 수명이 줄어들 테니까.

　더 이상 숨을 못 참겠다 싶었을 때 두리가 물 밖으로 튀어 올랐다.
　여름 소나기의 특징은 그리 오래가지 않는다는 것. 연회색 먹구름이 차츰 사라지더니 흰색 구름 사이로 쨍한 파란 하늘이 모습을 드러냈다. 수영장 가장자리에 두 팔을 올려놓고 호흡을 가다듬었다. 비 온 뒤에 나는 짙은 풀 내음이 코끝을 찔렀다.

내일, 이 호텔을 체크아웃하자. 지난 일주일간의 숙박비는 내가 다시 정산하자. 그리고 제작사 프로듀서를 만나러 가서 나의 시나리오에 대해 이야기하자. 원망을 듣는다 해도, 자존심이 상하더라도, 혹은 내 방식이 정말로 한물갔음을 정면으로 확인하더라도.

마치 불시에 빼앗긴 것처럼 다들 말하지만 열정은 어느 날 갑자기 사라지는 것이 아니라 스스로 손에서 놔버리는 것. 조금 더 스스로를 믿어주고, 그다음은 그때 가서 생각해도 늦지 않았다. 당장 지금만 해도, 해가 지기 전까지는, 사람들이 다시 수영장으로 내려오기까지는, 나의 시간은 아직 충분했다. < 終 >

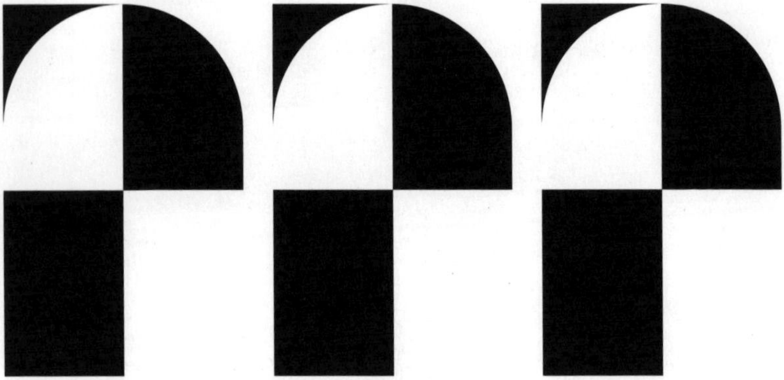

프랑스 소설처럼

한 남자가 505호 앞에 가만히 멈춰 섰다. 그는 흰색 와이셔츠 소매를 걷어 올린 왼쪽 팔뚝에 남색 리넨 재킷을 걸치고 오른손으로 검은색 노트북 가방을 단정히 들고 있었다. 남자는 손목시계로 도착 시간을 확인했다. I3분 지각이었다. 이마와 귀 뒤에 남은 땀을 손수건으로 톡톡 두드려 닦아내고 양복바지 호주머니에서 객실 카드 키를 꺼내 손잡이 아래에 댔다. 찰칵, 경쾌한 소리와 함께 그는 육중한 무게의 문을 힘껏 밀고 들어갔다. 남자는 객실로 한 발을 들이자마자 문 안쪽 손잡이에 걸려 있는 'PLEASE DO NOT DISTURB' 팻말부터 문밖 손잡이에 걸었다. 행여 도중에 직원분이 불쑥 청소하러 들어오기라도 하면 큰일이니까. 등 뒤로 조용히 문이 닫히는 소리와 함께 남자의 눈에는 카펫 위에 가지런히 놓인 여자의 청록색 뮬이 들어왔다. 남자가 한 달 전에 직접 골라준 것이었다.

객실 안은 호텔 로비나 복도보다 시원했다. 큰 보폭으로 몇 발짝 더 걸어 들어가자 킹 사이즈 침대와, 창가 옆의 일인용 소파 둘, 그리고 그 사이의 작은 원탁 테이블이 보였다. 여자는 흰색 목욕 가운을 두르고 일인용 소파에 앉아 고개를 가볍게 끄덕이며 남자를 맞이했다. 남자는 자신의 동작 하나하나에 꽂히는 여자의 연한 시선을 부드럽게 의식하면서 노트북 가방을 티브이 수납장 옆 책상 위에 세워놓고 왼팔의 손목시계부터 풀었다.

"땀 많이 났지……?"

여자의 허스키한 목소리엔 안쓰러움이 배어 있었다. 8월 말의 폭염 속에서도 대중교통을 타고 왔을 남자가 상상되었다. 남자는 희한한 면에서 고지식해서 약속 시간에 늦는 한이 있어도 절대 택시를 타지 않았다. 게다가 이 호텔은 산 둘레길에 있어서 지하철역이나 버스 정류장에서도 한참을 언덕길로 올라와야만 했다. 여자는 시원하다 못해 춥던 콜택시로 언덕을 올라오면서 저곳을 걸어 올라올 그를 상상하며 괜히 마음이 따끔따끔했다. 이 폭염에 걸어 다니는 사람은 한 명도 보이지 않았다. 남자가 오로지 자신

호텔 이야기

을 만나기 위해 이글거리는 태양 아래 땀을 흘리며 저 길을 걸어 올라와주었다는 기쁨과 그 수고를 하게 만든 미안함이 여자의 마음속에서 감미롭게 교차했다.

하지만 남자는 여자의 말을 곧이곧대로 알아듣고 땀에 젖은 몸으로 신경을 돌렸다. 이마와 목덜미를 손수건으로 잘 닦아냈다고 생각했는데 아뿔싸, 셔츠의 겨드랑이 부분이 기름종이처럼 진해졌음을 알아차리고 얼굴을 붉혔다.

"금방 씻고 올게."

무더위를 뚫고 이곳에 무사히 당도한 스스로가 대견했지만 남자는 여자에게 어떻게든 더 잘 보이고 싶다.

"아니야."

욕실로 향하는 남자를 여자의 한 마디가 멈춰 세웠다. 어쩐지 몸에서 끈적끈적함이 더 이상 느껴지지 않았다. 남자가 한결 편안해진 표정으로 시선을 돌리자 여자는 꽉 조여 맸던 목욕 가운의 허리끈 매듭을 조금 풀었다. 손바닥만 한 정도의 틈이 열리면서 반달 모양의 살색 젖가슴과 진갈색 음부가 하얀 가운과 선명하게 대비되며 드러났다. 남자는 어째서 이렇게 곤란하게 만드냐는, 원망하는 눈빛으로 여자를 바라보았다. 난처해할 때면 눈꼬리가 내려가는 남자의 버릇을 여자는 못내 귀여워했다. 말없이 입꼬리를 올리면서 여자는 남자에게 시선을 고정한 채, 소파의 양 팔걸이에 매끈한 다리를 한 짝씩 천천히 걸쳤다. 남자는 자신이 해야 할 일의 우선순위가 바뀌었음을 금방 알아챘다.

남자는 소파로 걸어가 무릎을 꿇었다. 셔츠 소매를 조금 더 걷어 올리고서 느슨하게 묶여 있던 여자의 허리끈 매듭을 확 잡아당겼다. 그리고 풀어 헤쳐진 목욕 가운 사이로 드러난 사랑스럽고 아름다운 모든 것에 할 수 있는 모든 경배를 올렸다. 어느 부분도 소외되거나 서운하지 않도록 꼼꼼하게 마음을 써가면서. 여자의 두 다리는 어느새 남자의 어깨에 하나씩 올라가 있었고, 남자는 여자를 더욱 깊이 세세하게 탐구했다. 남자의 셔츠에 밴 땀자국이 사라져가는 만큼, 여자는 숨을 깊이 들이마실 때마다 몸의 홈 곳곳에서 땀방울이 맺혔다. 남자는 여자의 체온이 서서히 끓어오르는 것을 감지하고 여자를 부드럽게 일으켜 세워 자리를 옮겼다.

◎

"체크아웃이 오후 6시던가?"

태풍이 휘몰아쳐 지나간 후, 침대에 엎드려 꼼짝도 하지 않던 여자가 이윽고 몸을 뒤집어 누우며 물었다.

"응, 맞아."

남자는 그사이 색깔이 사뭇 진해진 여자의 유두를 물

끄러미 바라보다가 바닥에 떨어져 있던 흰색 시트를 주워 그녀의 가슴까지 덮어주었다.

"이런 좋은 호텔도 대실이 된다는 건 처음 알았어."

여자는 막 잠에서 깨어난 것처럼 눈을 비비며 노곤한 말투로 중얼거렸다.

"대놓고 알려지지 않아서 그렇지 호텔업계 내에선 공공연한 일인가 봐."

남자가 팔베개를 권하자 여자는 그의 품으로 쏙 파고 들었다.

"그래도 프런트에 전화해서 대놓고 물어보기 좀 그랬 겠다."

여자가 검지로 남자의 관자놀이 부근을 만지작거리며 입술을 쭉 내밀었다. 남자는 잔잔한 미소를 띤 채 여자의 뺨을 쓰다듬으며 고개를 흔들었다.

"지금 여기에…… 우리 같은 사람이 많을까?"

장난기 가득한 눈빛으로 여자가 눈을 동그랗게 뜨며 물었다.

"글쎄."

남자는 여자의 검지를 잡아 입 안에 넣고 살살 깨물었다.

"여기 이렇게 같이 누워 있으니까 문득 P 과장님이 생 각나."

"P 과장?"

남자는 처음 듣는 이름에 잠시 미간을 찌푸렸다. 여자
는 대수롭지 않게 고개를 끄덕이더니 남자에게 그 이야기
를 하기 시작했다.

∞

"예전에 광고 회사 카피라이터로 잠시 일했던 적이 있
어. 1년을 채 못 채운 경력이라 아마 자기한텐 얘기 안 했을
거야. 카피라이터는 원래 광고주 미팅에 들어가지 않는데
거기는 외국계 은행 광고주라 금융 지식이나 업계 용어를
파악해놔야 해서 담당 광고 기획자(AE)들이 나를 일부러
데리고 다녔어. 아니면 일일이 중간에서 브리핑해줘야 해
서 자기네가 피곤하거든.

자기도 알지? 나 완전 숫자에 젬병인 거. 그러니 금리,
펀드, 환율, 신탁…… 이런 걸 소화해 광고 카피를 써야 했
으니 죽을 맛이었어. 몇 번이고 담당 광고주를 바꿔달라고
회사 윗분들한테 호소해봤지만 소용없었어. 결국은 몇 번
의 실수가 연이어져서 광고주 부장님한테 엄청 깨졌지. 나
중에 알았지만 광고 기획자들이 그날 깨질 걸 이미 예상하
고 일부러 시안 들려서 나만 광고주에게 보냈던 거야. 나
쁜 놈들. 그렇게 깨지고 나와 얼굴이 사색이 돼서 엘리베이
터를 기다리는데 누가 툭 건드리기라도 하면 울 것 같았지.

그때 광고주 부장님과 같은 팀인 P 과장님이 복도를 지나가다가 나를 발견하고 말을 걸어주셨어. 은행 쪽 일이 처음엔 이해하기 어렵다고. 다들 실수하면서 일을 배운다고. 그게 당연하고, 곧 익숙해질 거라고. 옆자리에서 내가 깨지는 걸 보고 되게 불쌍했었나 봐. 그분이 나한테 말을 건 게 그때가 처음이었거든.

남자였냐고? 응, 남자였어. 후후. 유부남. 그래, 자기가 무슨 상상할지 알아. 거래처 여직원에게 치근대는 중년 아저씨……? 하지만 상상할 법한 그런 이미지는 아니야. 뭐랄까 무척 기품 있는 사람이었어. 물론 당시 외국계 은행에 근무하는 엘리트들은 전반적으로 지적이고 세련되긴 했었지. 다른 분들이 어딘가 신경질적이고 시큼한 야망이 묻어 있는 분위기라면 P 과장님만 주위에 흐르는 공기가 달랐어. 늘 고고한 정물화처럼 조용히 자리에 앉아 있었는데 그건 마치 일을 하는 게 아니라 금융계 직장인을 '연기'하는 것만 같았어. 그래, 쉽게 말하면 내게 치근대려고 자상한 말을 했던 게 아니라는 거야. 내가 아무리 어리고 세상 경험이 얕았어도 그 정도는 간파했지. 어쨌든 그때 그분의 위로가 큰 힘이 되었어. 모두가 나를 나무라고 책임을 전가하는 상황에선 지푸라기라도 붙잡고 싶은 법이니까.

그 일이 있고 나서 정신 바짝 차리고 닥치는 대로 금

융 공부를 시작했어. 사람이 절박해지니까 도저히 이해가 가지 않았던 것들이 하나둘 머리에 들어오더라고. 점차 은행 광고의 핵심 메시지가 무엇이어야 하는지 감도 와서 그 다음부턴 거짓말처럼 일이 술술 풀렸어. 광고주 미팅도 편해졌고 신임도 얻게 되었지. 회의실 앞을 지나가는 P 과장님과 눈이 마주칠 때면 그는 참 다행이라는 듯이 투명유리 너머로 희미하게 미소 지으며 지나가시곤 했어. '다 과장님 덕분입니다'라고 감사를 표하고 싶었는데 미팅이 끝나고 슬그머니 자리에 들러보면 항상 외근 중이거나 자리를 비웠더라고.

그러다 어느 날 광고주 미팅을 들어갔는데 P 과장님의 책상이 깨끗이 정리되어 있는 거야. 마치 퇴사한 사람의 책상처럼 말끔히. 좀 이상해서 미팅이 끝나고 그 팀 대리님에게 지나가듯 조심스럽게 물었지. P 과장님은 부서를 이동하셨나 봐요, 라고. 그랬더니 대리님과 옆에 있던 직원들의 표정이 굳어지면서 대답을 서로 미루는 거야. 아 뭐가 있구나 싶었지만 캐묻지는 않았어. 그즈음엔 나도 업무에 익숙해져서 다들 잘 대해줄 때라 솔직히 전처럼 P 과장님이 심적으로 필요한 건 아니었거든. 아니 솔직히 고마움의 감정이 마음의 빚처럼 쌓여서 부담스러운 감도 없지 않았어. 그래서 나도 더 이상은 궁금해하지 않았지."

"못됐다."

남자가 여자의 봉곳한 볼살을 살짝 꼬집으며 말했다.

"인정."

여자는 마치 다른 사람에 대해 핀잔하듯 말했다.

"그러고선 나는 몇 달 있다가 그 광고 회사를 그만두었어. 그리고 시간이 한참 흐른 어느 날, 은행 광고주 대리님을 우연히 한 카페에서 마주쳤지 뭐야. 나도 모르게 못 본 척 고개를 휙 돌렸어. 왜긴 왜야…… 을들은 과거에 모시던 갑님들 다시 보는 거 완전 고역이거든. 일 때문에 억지로 잘 보인 건데…… 그분은 옛 고향 친구 만난 것처럼 날 알아보고 너무나 반가워하는 거야. 미쳐버려요…… 사실 핑계 대고 카페를 나가버릴 수도 있었는데 그때 불현듯 P 과장님 일이 생각났어. 제대로 감사 인사를 못 했던 게 마음 한편에 계속 남아 있었던 것 같아. 그래서 재회한 김에 P 과장님이 사라진 경위나 알아봐야겠다 싶어서 자연스럽게 합석했어. 아무리 생각해봐도 뭔가 되게 슬프고 안 좋은 일이 그한테 벌어졌을 것 같았거든."

여자는 당시의 복잡한 마음이 되살아난 양, 길게 한숨을 내뱉었고 여전히 그 사실을 제대로 소화하지 못했다는 듯이 선뜻 다음 이야기를 이어가지 못하고 있었다.

"응, 그래서?"

어쩐지 시원하게 풀어놓을 수 있도록 여자를 도와야 할 것만 같았다. 남자는 여자의 팔뚝 안쪽의 부드러운 살집에 입을 길게 맞추면서 예민해진 신경을 진정시켜주었다.

"하아…… P 과장님은,"

여자가 숨을 짧게 들이마셨다.

"그러니까…… 간통죄로 수감되어 있었다는 거야. 나는 내 귀에 들리는 단어를 믿을 수가 없었어. 간통이라는 단어와 세상 안 어울리는 사람이었으니까."

간통이라는 단어와 어울리는 사람은 대체 어떤 사람일까, 남자는 잠시 속으로 생각했다.

"물론 사람은 겉보기와는 다르니 그럴 수 있다고 쳐."

남자의 속생각을 마치 꿰뚫어 보듯 여자가 말했다.

"그러니까 내가 놀란 건 간통이 아니야. 나는 P 과장님이 굳이 감옥에 들어가기를 선택한 부분에 놀랐던 거야. 대부분은 아내가 간통죄로 고소하면 남편은 싹싹 빌며 용서를 구한다고 해. 간통죄 고소는 이혼을 전제로 해야 하는데 아내들이 진짜로 이혼을 바라고 고소하는 건 많지 않대. 주로 겁주기 위한 것이고 남편들도 싹싹 빌며 용서를 구하지. 게다가 웬만하면 남들 다 집행유예로 빠지는 걸 P 과장님은 애쓰지도 않았대. 타협하지 않고 대가를 치르기로 한 거지. 아, 그 다른 여자를 위해서 그런 것도 아니었대."

"그럼…… 왜?"

호텔 이야기

"나도 몰라. 많은 걸 안정적으로 가진 그런 세련된 분이 어째서 굳이 그런 선택을 했는지 불가사의했어. 입소 전에 사표를 쓰셨다고 해. 이제 와서 돌이켜보면 P 과장님의 묘하게 초연한 분위기는 약간…… 인생에 대해 더는 기대가 없는, 체념한 사람의 그것이었던 것도 같아. 가지고 있던 것을 얼마든지 놔버릴 준비가 되어 있는. 우습게도 그분이 형기를 마치고 만기 출소 하자마자 그다음 달인가 일사천리로 간통죄가 폐지되었다지. 타이밍도 참."

"그분이 걱정되었구나."

남자는 '그분을 내심 좋아했구나'라고 말하려다가 표현을 달리했다. 걱정하는 것이 좋아하는 것이기도 했고. 심장이 조금 쫄깃한 것은 질투의 감정이었을까.

"아니, 뭐 그런 것보다 그냥 사람 속은 참 알 수 없다 싶어서. 대체 무슨 생각으로 그랬을까?"

여자는 미간에 힘을 주며 여전히 풀리지 않는 의문에 답답해했다.

"아무튼 말하다 보니 길어졌는데 요지는 P 과장님도 지금의 우리처럼 낮 시간을 이렇게 호텔 침대에서 보냈던 건가 싶어서 문득."

한참 동안 이야기를 풀어내고서 여자는 조금 지친 기색이 되었다. 남자는 팔베개에서 벗어나 다시 엎드린 자세를 취한 여자의 등을 말없이 위아래로 쓸어내렸다.

"있잖아, 바람피우는 사람들은 '원래' 그런 사람들이었을까? 자신이 나중에 어른이 되어 그러리라는 것을 알았을까?"

엎드린 채로 여자가 남자에게 조곤조곤 물었다.

"아니. 그 누구도 몰랐다고 생각해."

남자의 손이 갈라진 여자의 엉덩이 틈으로 부드럽게 옮겨갔다.

"……그런 거겠지?"

"그럼."

남자는 단호한 목소리로 여자를 안심시켜주었다.

"있잖아, 여기 올해 12월 말일에 영업 끝난대. 그래서 말인데…… 우리도 그때까지만 볼까?"

여자가 불쑥 남자에게 물었다. 남자는 지금 이게 무슨 말인가 싶어 혼란스러워하며 헛기침을 했다. 한데 여자는 언제 그런 말을 했냐는 듯이 바로 딴소리다.

"나 여기 무척 마음에 드는데 문 닫기 전에 한 번 더 올까?"

"……그러면 되겠네."

남자는 아까 들은 말은 잊기로 했다. 여자를 성가시게 하고 싶지 않았다.

"벌써 4시네. 체크아웃 오후 6시랬지?"

두 번이나 같은 질문을 하는 걸 보니 쫓기는 기분이었

호텔 이야기

을까. 여자는 평소 성질이 조금 급하긴 했다.

"응."

여자는 갑자기 시트를 걷어내고 벌떡 일어나더니 벌
거벗은 채로 창가로 가 커튼을 활짝 젖혀 창밖을 내다보았
다. 진한 연둣빛 잔디와 우거진 나무 그늘 옆으로 시리도록
파란 수영장 물이 넘실댔다. 서로를 친근하게 부르는 소리
와 첨벙거리는 물소리가 경쾌하게 뒤섞였다.

"보이면 어쩌려고."

남자가 뒤따라 일어나서 여자의 몸을 시트로 둘둘 싸
맸다.

"저거 보니까 수영이 하고 싶어지네……."

남자는 여자를 뒤에서 끌어안고 그녀의 조금 각진 오
른쪽 어깨에 입을 맞추었다.

"난 슬슬 다시 회사 들어가봐야겠다."

남자는 카펫 바닥에 떨어져 있던 옷가지를 하나둘 주
워 입기 시작했다.

"자긴 안 씻어도 돼?"

다시 회사로 돌아가야 하는 남자에게 여자는 어쩐지
조금 미안했다.

"괜찮아. 지금 시간도 좀 촉박하고."

"몸에서 냄새 풍기면 어떡해……."

"좀 남겨놓는 것도 좋잖아."

여자는 그 냄새가 자기 것임을 알기에 얼굴을 찡그렸다.

"천천히 쉬었다가 시간 꽉 채우고 나와요."

남자는 여자에게 작별 인사를 할 땐 꼭 존댓말을 쓰곤 했다.

"알았어요. 안녕. 또 봐요."

여자는 몸을 가리고 있던 시트를 괜히 보란 듯이 손에서 툭 놓았다.

몇 시간 전에 올라온 길을 다시 고스란히 내려가면서 남자는 한낮의 직사광선이 조금은 누그러졌다고 느꼈다. 그렇다 해도 여름은 여름. 씻지 않은 것은 밖에 나오면 금세 다시 땀이 날 것을 알았기 때문이다. 아마도 택시를 불러 집에 갈 여자가 그런 상황을 알 리가 없겠지만.

남자는 사무실로 돌아가 외근일지를 작성하고 동료들과 다음 달에 있을 행사 관련 사항들을 조율했다. 퇴근 시간을 20여 분 남겨두고 여자가 문자메시지를 보내왔다.

[저녁은? 아까 먹고 들어온다고 했던가.]

[아니. 들어갈 거야.]

호텔 이야기

잠시 여자는 1분 정도 답신이 없었다.

[저녁 뭐 해 먹지……?]

일찍 들어오는 것을 여자가 내심 원치 않아 하는 것을 남자는 바로 감지했다. 이럴 때 '아무거나 먹자'고 하는 것은 치명적인 오답이다.

[참, 나 어쩌면 야근을 조금 하고 가야 할지도 몰라. 회사 지하에서 간단히 먹고 들어갈게.]

[앗, 다행이네. 실은 나 허기져서 아까 자기 가고 나서 룸서비스 시켰거든.]

[체크아웃 시간, 괜찮아?]

휴대폰으로 시간을 확인할 수 있는데도 남자는 손목시계로 꼭 시간을 파악했다.

[프런트에 전화해서 두 시간 연장했어. 한 시간 분만 청구한대. 여기 되게 친절하더라.]

평소와 달리 변명처럼 이런저런 말을 길게 늘어놓는 여자가 남자는 조금 짠했다.

[그래, 잘했어.]

바라던 답신을 들은 여자는 더 이상 문자를 보내오지 않았다.

퇴근 시간을 조금 넘겨서도 지하철 안은 수많은 사람들과 지친 하루를 보낸 그들의 꿉꿉한 공기로 가득했다. 조금 전까지 밖에서 흘리던 땀 냄새는 고스란히 압축되어 몸을 앞뒤로 붙인 이름도 모르는 사람들과 꼼짝없이 함께 나누어야 했다. 지하철이 잠시 지상으로 올라와 한강 다리를 건너는 구간에서 남자는 손에 쥐고 있던 휴대폰을 호주머니에 넣고 멀어져가는 한강을 눈으로 좇았다. 그러면서 오늘 낮의 시간을 차분히 복기했다.

발단은 얼마 전에 있었던 여자의 서른다섯 번째 생일이었다. 여자와 남자는 거의 1년 내내 온화하고 친밀한 관계를 유지해왔지만 1년에 한 번, 꼭 여자의 생일에 맞춰 부부 싸움을 했다. 어떤 기대가 여자에게 있었는지 남자는 헤아리지 못했다. 하지만 기대가 분명히 있었으니 그에 따른 실망은 필연적이었다. 물론 평화주의자인 남자는 여자와 부부 싸움을 벌이는 것을 즐기지 않았고 특히나 여자가 부부 싸움 중에 눈물범벅이 되면 순간 머릿속이 하얘지면서 어찌할 바를 몰랐다.

부부 싸움은 여자가 무엇을 원하는지 남자가 능력껏 헤아린 후, 수단과 방법을 가리지 않고 그것을 여자에게 바치는 것으로 대부분 마무리되었다. 그러나 결혼 햇수가 거듭될수록 여자의 기대는 점점 더 모호해져서 남자의 속을 애태웠다. 회사 일은 세월과 경력이 쌓일수록 더 확실해지

호텔 이야기

고 선명해지는데, 어째서 여자의 마음은 함께 보낸 시간이 길어질수록 더더욱 알기가 어려워지는 것일까? 자신이 기대하는 게 무엇인지 바로 알려주지 않는 것, 자체가 여자가 남자에게 내리는 벌이라는 것을 남자는 알 턱이 없었다. 왜 이렇게까지 일을 복잡하고 힘들게 만들어야 하는 건지 남자는 이해가 가지 않았지만 여자를 끝끝내 실망한 상태로 둘 수는 없었다. 그러기에는 남자는 여자를 여전히 깊이 사랑했다.

다가오는 승진 시험의 스트레스와 겹쳐 남자의 인내심이 서서히 바닥을 칠 무렵, 여자가 스무고개 놀이를 포기하고 꾹 다물고 있던 입을 살포시 열었다.

"그러니까 소설 속 한 장면을 경험해보고 싶다는 거야?"

여자는 퇴근 후 부엌 테이블에 앉아 승진 시험 공부를 하던 남자에게 다가와 말을 툭 던졌다.

"지난번에 나한테 읽어보라고 건넸던 그 책?"

싸우고 나서 처음 여자와 말을 섞을 때는 태연하게 구는 게 좋다. 바로 조금 아까까지 대화를 나누던 사이처럼. 여자는 고개를 천천히 끄덕였다. 그것은 아마도 프랑스인 여성 작가가 썼다는 소설이었을 것이다. 남자의 침대머리맡 협탁 뒤에 한동안 올려져 있던 책이 그 책이었나 보다. 남자는 근래 유독 야근이 많아 소설책은커녕 시험공부 할 시간도 모자랐다.

"미안. 내가 아직 못 읽었어. 소설 어느 부분인데?"

다음 날 아침, 포스트잇으로 표식을 해둔 책이 부엌 테이블 위, 남자가 앉는 자리에 사뿐히 올려져 있었다. 아침 7시면 집에서 나가야 했던 남자는 토스트 한 쪽만 겨우 집어 먹고 황급히 책을 챙겨 집을 나섰다. 아무리 지하철 한 대를 놓치는 한이 있더라도 암막 커튼을 쳐놓은 방에 들러 안대를 꽁꽁 두르고 잠든 여자의 이마에 키스를 하는 것만큼은 잊지 않았지만.

여자가 왜 직접 말하지 않았는지 남자는 출근길 지하철에서 포스트잇으로 표시된 부분을 읽고서야 알았다. 간단히 말하자면, 한 여자와 한 남자가 환한 대낮에 호텔방에서 만나 정사를 벌이고 안타까워하며 작별하는 장면이었다. 딱히 부부 사이에 '그런' 쪽의 문제가 있다고는 느끼지 못했던 남자는 왜 여자가 이런 것을 원하는지 일견 잘 이해가 가지 않았다. 솔직히 말해 횟수도, 충족도도 더할 나위 없었을 테니까. 그 정도도 모를 정도로 둔감하지는 않았다. 어쩌면 얼마 전부터 서른 중반을 넘어가면 아무도 자신을 여자로 봐주지 않을 거라고 유달리 툴툴대던 것과 관계가 있을지도 몰랐다. 상사와의 불화로 힘들어하던 직장을 그만두고 '역시 노는 게 체질'이라던 여자가 일상의 권태를

호텔 이야기

느끼게 된 것일까? 아니면 부부 관계에서 권태를……? 남자는 한동안 소설 속 장면의 의미에 대해 숙고했다. 하지만 여기서 유일하게 중요한 것은, 앞서 말했듯이 남자는 여자를 깊이 사랑했고 여자의 바람이라면 어떻게든 들어주고 싶다는 한 가지 사실뿐이었다. 사랑하는 사람을 사랑하는 일에 수고를 아낀다면 세상의 어떤 일에 수고를 해야 할까. 남자는 그날 집에 들어가자마자 소파에 누워 영화를 보던 여자에게 다가가 잘 읽었고 잘 알겠다고 담담하게 말했다.

"그런데, 모텔이나 부티크 호텔 같은 데는 곤란해. 어디까지나 우아하고 클래식해야 해."

여자가 소파에서 일어나 부엌으로 건너가 냉장고 문을 열면서 흘리듯 말했다. 여자가 스치듯 말하는 사안일수록 실은 강조하고 있다는 것을 남자는 오랜 경험을 통해 알고 있었다.

'아, 또 생수 통에 입 대고 마신다.'

남자는 미간을 찌푸리며 여자가 시원하게 물을 들이켜는 모습을 바라보았다. 남자가 매번 컵을 재빨리 꺼내서 갖다 줘도 늘 저랬다.

소위 말하는 '우아하고 클래식한' 호텔의 숙박료가 상상했던 것보다 훨씬 비싼 것을 알고 남자는 입이 딱 벌어졌다. 그는 결코 수전노는 아니었지만 생활에 있어서 불필요하거나, 수입과 경제 상황에 걸맞지 않은 소비는 가급적 하지 않는 주의였다. 가급적 물은 컵에 따라 마셔야 하는 것처럼.

　남자는 회사 구내식당에서 점심을 혼자 먹고 나서 회사의 옥상 공원 벤치에 앉아 호텔 예약 사이트에서 이런저런 호텔을 검색해보았다. 그리고 그라프 호텔이라는 곳이 다른 5성급 호텔보다 유독 숙박료가 저렴한 것을 발견했다. 괜찮아 보이는데 왜 그럴까 고개를 갸우뚱하고 있는데 옆 부서 남자 사원이 와서 벤치에 합석했다.

　"과장님, 뭐 하세요? 아…… 호캉스? 아니면…… 설마 대실?"

　사원은 휴대폰 화면을 잽싸게 훔쳐보면서 짓궂게 물었다.

　"대실이 뭐지?"

　남자는 진지하게 묻고 있었다.

　"그럼 그렇지, 과장님처럼 고매하신 분이 그런 말을 알 리가 없지요."

　사원은 반은 감탄, 반은 한심하다는 듯 피식 웃었다.

　"낮에 몇 시간만 이용하는 거요. 그 왜……."

　"아, 모텔처럼?"

　남자는 애써 아는 척을 해보았다.

　"그게 꼭 그렇지도 않더라고요. 직접 프런트로 문의하

면 낮에 대실을 예약할 수 있는 특급 호텔들도 많대요. 그쪽 업계에선 공공연한 비밀이래요.”

여자는 분명히 소설에서 나온 그대로, ‘낮에 만나서 낮에 헤어질 것’을 명명했다. 비용도 그렇지만 애써 예약한 방을 밤에는 빈방으로 두는 것도 낭비였다. 혹시 몰라 남자는 일반 사람들의 이용 후기 사진도 유심히 챙겨 보았다. 이 세상은 실물과 딴판인 것들이 너무 많으니. 하지만 그곳은 정말로 충분히 우아하고 클래식했다. 입사해서 내내 영업 업무만 해온 남자에게 호텔 프런트에 전화를 걸어 ‘낮에 몇 시간만 이용 가능한지’ 묻는 것 정도는 전혀 어렵지 않았다.

어쩌면 자만 같지만 모든 것은 완벽했다고 남자는 나름 자체 평가를 내리고 있었다. 방에 두고 나오며 본 아내의 표정은 맑았고 오후의 정사도 나쁘지 않았다. 아니 나쁘지 않은 정도가 아니라 실은 호텔 카드 키를 문에 대고 들어가는 순간부터 남자도 꽤 상황을 즐겼다. 비록 지금은 노곤했지만 몇 시간 전의 비일상적인 정경을 곱씹으니 다시 지하 터널로 내려온 지하철 창에 비친 자신의 얼굴에 슬며시 미소가 떴다. 다른 영업자들은 허구한 날 외근을 핑계 삼아 개인 볼일을 보러 다니거나 사우나에 가지만 단 한 번도 그런 적이 없던 남자는 오늘의 작은 일탈이 대견하고 즐거웠다.

그러다 문득, 아까 여자가 침대에서 불쑥 꺼냈던 이상한 말을 기억해냈다. 호텔이 12월 말일에 영업이 끝난다고 하니까 우리도 그때까지만 볼까, 라며 '이별'을 고했던 것 말이다. 분위기에 흠뻑 빠져들어 소설 속 전개대로 장난치듯 연기를 한 것이겠지만…….

남자는 고개를 저었다. 하지만 생각이 꼬리에 꼬리를 물고 이어졌다. 어쩌면…… 여자에겐 헤어지려고 하는 다른 사람이 진짜로 존재했을지도 모른다. 어쩌면…… 여자는 마음이 계속 흔들려서 그 사람과 12월 말까지 유예기간을 가지고 싶었을지도 모른다. 어쩌면…… 여자가 이번 생일에 진정으로 바랐던 것은 그 사실을 남자가 알아차려주는 것이었을지도 모른다.

갑자기 빈속이 울렁거리는 감각을 느끼며 남자는 어금니를 꽉 깨물었다. 호주머니에서 휴대폰을 꺼내 여자에게 전화를 걸고 싶은 충동을 강하게 느꼈지만 그 순간 들려온 '이번에 내리실 역은' 안내 방송 목소리에 번쩍 정신이 들었다. 이번 역에서 내려 다른 노선으로 갈아타야 했다. 깜빡 놓치면 다음 역에서는 개찰구를 나갔다가 다시 들어와야 해서 이만저만 번거로운 게 아니다. 승진 시험 준비로 인한 피로 누적과 직사광선 아래 너무 오래 걸어 더위까지 먹어서 신경이 조금 곤두섰을 뿐이라고 스스로를 타일렀다.

남자는 호주머니 안에서 만지작대던 휴대폰을 그대로
둔 채 노트북 가방을 두 팔로 꼭 끌어안고 사람들 틈을 비
집고 나가 지하철에서 겨우 내렸다.　　　　　　　< 終 >

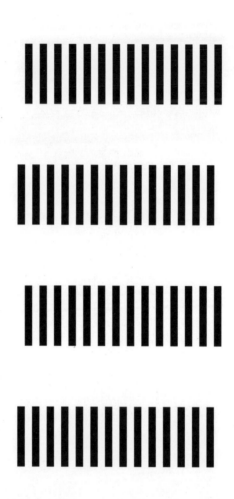

하우스키핑

정현이 호텔의 기다란 복도 카펫 위로 어메니티 카트를 끌고 가는 모습은 어딘가 연극적이었다. 짙은 남색 원피스에 덧입은 흰색 레이스 앞치마, 흰색 발목 양말과 검은색 메리제인 슈즈, 머리를 동글게 말아 묶은 차림새. 한가득 실린 흰색 수건, 화장지, 일회용 샴푸 컨디셔너 등은 무대 소품처럼 보였고, 엘리베이터 앞 복도와 달리 객실 앞 복도에 설치된 어둑한 핀 조명까지. 하우스키핑 일일 기록 파일에 담당하는 방 번호와 손님 체크아웃 시간, 작업 시간을 꼼꼼히 적는 정현의 새초롬한 모습은 마치 호텔 메이드를 '연기'하는 배우처럼 보였다.

그것은 결코 시늉만 내는 연기가 될 수 없었다. 호텔 하우스키핑은 단순한 방 청소가 아닌, 희미한 냄새를 포함, 전날 밤 숙박한 손님의 어떤 흔적도 일절 남기지 않는 과업이었다. 방 하나당 주어진 시간은 30분 전후. 쓰레기를 비우고 침구와 욕실 어메니티를 교체하고, 먼지를 털고 청소기를 돌리고, 미니바 냉장고, 문구류, 욕실 가운과 슬리퍼 등 각종 비품을 체크하고, 가구류와 전자제품의 기물 파손 여부를 확인하는 등, 해야 할 일이 수십 가지나 되었지만 반복 훈련을 통해 정현은 모든 순서를 몸에 세밀하게 각인했다.

마무리는 객실 안 일인용 소파에 푹 깊숙이 앉아 손님의 시선으로 방 전체를 집중적으로 둘러보는 일이었다. 어쩌면 창문에 찍힌 지문 자국이나 벽의 얼룩, 혹은 카펫의 오염이 보일지도 모르니까. 아, 그리고 빼놓아서는 안 되는 화장실 청소. 화장실 청소는 메이드 일을 처음 시작하는 누구나 당황해하는 일이었지만 완벽한 청결을 추구한다는 면에서만큼은 어딘가 불교의 수행과도 닮아 있었다. 객실에서의 '소파' 의식처럼, 화장실 청소의 마무리는 물 없는 욕조에 누워 손님의 시선으로 욕실 전체를 살피는 일이었다. 욕조에 누우면 특히 변기 안쪽이 잘 보였다. 자칫 놓칠 뻔했던 변기 안쪽의 오염 부위를 정현은 무아지경의 표정으로 말끔히 완벽하게 제거해냈다.

호텔에서 일하면서 정현은 인간이 만들어내는 다양한 분비물에 매번 새롭게 놀라곤 했다. 인간의 체액이 얼마나 다양한 색깔과 점도를 지니는지, 체모는 또 얼마나 다양한 두께와 길이, 곱슬거리는 정도가 다른지.

메이드들은 휴게실에 모여 종종 손님들이 남기고 간 어마어마한 분비물의 더러움을 성토했지만 정현은 호텔 방에 몸의 자연스러운 분비물을 남기는 것이야말로 호텔 투숙객의 권리가 아니면 무엇이겠느냐는 개인적인 견해를 가지고 있었다. 사랑을 나누는 일이 대단한 것도 서로의 더러움을 기꺼이 나눌 수 있는 뜨거운 마음 때문일 것이다.

◑

"저…… 이런 유실물은 어떻게 해야 하나요?"

일을 마치고 하우스키핑 직원 휴게실에서 쉬고 있던 정현에게 지난주에 입사한 메이드가 다가와 난처해하면서 물었다. 그녀의 손에는 흰색 레이스 속옷이 담긴 비닐 주머니가 들려 있었다.

"손빨래하고 나서 잊고 안 챙겨 간 게 아닐까요?"

정현이 읽고 있던 책에서 얼굴을 들어 힐끗 보며 대답했다.

"그런데 그게…… 세탁이 되어 있지 않은 거라서요. 욕조 손잡이에 걸려 있었어요."

'호텔에서 얼마나 희한한 유실물들이 자주 발견되는지 알면 사람들이 얼마나 놀랄까.' 차라리 확실히 버려달라고 표시해주면 좋으련만…… 버리라는 것인지, 깜빡 잊고 간 것인지 애매한, 유실물로 처리하기에 민망한 것들이 종종 튀어나왔다.

"그럼 버리지 말고 저기 유실물 함에 일주일만 넣어두세요. 혹시 모르니까."

그렇게만 일러주고 다시 책의 세계로 돌아가려고 하는데, 메이드 다섯 명이 일을 마치고 휴게실로 우르르 들어왔다.

"뭔데, 뭔데?"

그들은 신입의 손에 들려 있는 물건을 궁금해했다. 주눅이 든 신입은 더러운 고급 속옷, 이라고 핵심만 설명했다.

"아오, 갖다 버려! 칠칠치 못하네, 인간들……."

그중 최고 연장자인 희숙이 칠색 팔색 하며 손사래를 쳤다. 눈에 거슬리는 것은 어떻게든 자기 방식대로 해야 직성이 풀리는 사람이었다. 신입 메이드는 난감해하며 앞서 다르게 조언한 정현의 안색을 살폈다.

"왜, 정현 씨가 버리지 말래?"

자신이 버리라고 하는데 정현의 의견에 더 무게를 두

호텔 이야기

는 신입을 보고 희숙이 떨떠름하게 웃었다.

"예전에도 벗어놓고 간 속옷을 다시 찾으러 온 손님이 있었어요."

정현은 책에서 눈을 떼지 않고 담담하게 일러주었다.

"그런 애매한 것들 갖다 두라고 제가 비품 로커 한쪽에 보관함 만들어두었고요."

싸늘한 공기가 휴게실을 휘감았다. 팔짱을 끼고 듣던 희숙은 혀를 차며 정현을 흘겨보았다.

"그럼 그렇게 하면 되겠네…… 정현 씨 말은 늘 옳으니까."

희숙이 눈을 굴리며 비아냥댔다. 읽다 만 부분을 찾던 정현은 책을 덮어버리고 바깥 공기를 쐬러 보안실 옆 출입구로 나갔다. 이럴 때는 자리를 피하는 게 상책이었다.

한동안 하우스키핑 부서에서는 정현에 대한 갖가지 소문이 돌았다. 다른 직원들과 어울리지 않고, 말수가 없고, 쉬는 시간마다 손에서 책을 놓지 않았기 때문이었다. 대개는 '부잣집 사모님이었는데 남편 사업이 쫄딱 망해서 이 일을 하고 있다'였고, 초창기에는 '원래 직업은 작가인데 취재 때문에 메이드 일을 하는 것이다'나 '언어장애가 있다' 같은 소문도 있었다.

"자긴 우리랑 다르잖아. 콧대도 오뚝하고 똘망똘망하

니 뭔가 고고한 분위기랄까~"

　　말을 잘 섞지 않는 정현을 두고 자신들을 무시하고 혼자만 잘난 줄 안다고 메이드 동료들이 투덜대던 시절도 있었다. 그러나 딱히 반응을 보이지 않고 꾹 참아 넘기면, 음습한 관심이라는 것은 파도처럼 들이닥쳤다가 저절로 알아서 빠졌다. 사람이 빈번히 들고 나는 하우스키핑 부서에서 가급적 남의 눈에 띄지 않게 5년이라는 시간을 일해왔다. 다른 일을 할 기회가 없었던 건 아니었다. 퇴사 후 양재동 저택의 입주 가사도우미로 일하던 동료도 인근에 사람 구하는 사모님이 있다고 몇 번이나 연락을 해왔다.

　　"입이 무겁고 조용한 사람을 찾나 봐. 정현 씨가 딱 생각났지 뭐야. 호텔 월급은 너무 짜고 맨날 똑같은 일이나 하고, 좀 지겹지 않아?"

　　정현은 추천은 고맙지만 관심 없다고 즉답했다. 직원 구내식당에서 하루 세 끼 다 챙겨 먹고 갈 수 있는 것도 좋았지만, 무엇보다 그 '아무 생각 없이 똑같은 일'을 하는 것이야말로 정현이 구하고 있던 것이었기에. 급기야 지금은 하우스키핑 부서의 최장기간 근속자가 되었다.

◍

　　정현에 관한 소문은 대학 동기 사이에서도 돌았다. 구

· 86 ·

체적으로는 두 가지였다. 하나는 '직장을 다니다가 미국으로 건너가 로스앤젤레스의 한인 타운 술집에서 일한다'는 설과 다른 하나는 '병으로 죽었다'는 설이었다. 그랬으니 407호실에서 캐리어를 끌고 나오던 사회학과 동기 상원이 정현을 알아보고 마치 유령을 본 것처럼 휘청댄 것은 십분 이해할 만했다.

"오정현……?"

세탁부에서 올려 보낸 보송보송한 새 타월을 카트 안에 채우고 있던 정현은 자신을 부르는 목소리에 고개를 들었다. 연하늘색 셔츠와 면바지, 반질반질한 갈색 가죽구두를 신은 한 남자가 열 걸음쯤 앞에 서 있었다.

"나 기억하지? 유상원."

자신을 손가락으로 가리키며 다급하게 묻는 남자에게 정현은 눈을 깜빡이며 천천히 고개를 끄덕여주었다.

"대체 이게 얼마 만이야…… 애들은 네가 갑자기 소식이 두절돼서 무슨 일 난 줄 알아……."

상원은 반가움과 놀라움이 교차한 표정으로 말했다.

"무슨 일?"

정현은 복도 주변을 살피면서 물었다. 호텔 매뉴얼상, 직원은 투숙 손님과 여담을 나눠서는 안 되었다.

"뭐, 많이 아팠다고……."

"그래서 죽었다고?"

웃음이 나오려는 것을 참으며 태연히 묻는 정현에게 상원은 대답 대신 너털웃음을 지어 보였다. 정현이 죽지 않고 살아 있는 것을 확인한 것으로 다 됐다는 듯이.

정현은 대학교 4학년 겨울방학에 계단에서 넘어져 골절로 한 달 넘게 입원해 있느라 이듬해 봄 졸업식에 모습을 드러내지 않았다. 그러고서 반년을 쉰 후 취직 준비를 제대로 못 했다는 이유로 다른 대학의 사회학과 대학원에 진학했다. 결과적으로는 의미 없는 시간낭비였다. 대학 동기들과의 인연도 자연스럽게 끊기는 가운데, 몇 다리 건너 '불치병에 걸려 젊은 나이에 외롭게 죽었다'라고 자신에 대한 소문이 확대 재생산되는 과정을 그저 가만히 지켜보았다. 말이 사람에서 사람으로 건너가는 사이, 인간은 얼마나 창의적이 되는지. 굳이 나서서 정정할 필요를 못 느꼈다.

잠시 멈춰 있던 시간들을 떠올리던 정현에게 상원은 세세하게 자신의 근황을 알려주었다. 부산에서 아버지의 사무기기 사업을 물려받아 운영하고 있는데 서울에는 잠시 출장 온 것이고 마침 이 호텔이 미팅 장소와도 가깝고 특가 상품도 나와 있었고…….

혼자서 중얼대던 상원이 머쓱해하며 중간에 말을 멈췄다.

호텔 이야기

"아무튼 건강해 보여 다행이야."

상원은 정현의 어깨를 토닥이며 어색하게 헛기침을 내뱉었다. 마치 그제야 정현의 메이드 유니폼이 시야에 들어온 것처럼. 정현은 호텔의 하우스키핑 메이드라는 직업이 세간에 어떤 이미지를 주는지에 대해 잘 알고 있었다. 불특정한 사람들의 더러움을 처리하는 일련의 직업들은 사람들에게 대개 미안함이라는 감정을 불러일으키는 것 같았다. '이런 일을 할 사람이 아닌데 그런 일을 하고 있으면' 어쩐지 말하기 껄끄러운 불운의 사연이 있을 거라는 손쉬운 선입견도 보태졌다. 상원은 어색함을 만회하려는 듯이 바지 호주머니에서 지갑을 꺼내 명함 한 장을 집어서 정현에게 건넸다. 자주 수업을 빠졌던 자신에게 필기 노트를 자상하게 빌려주던 '사회조사방법론' 수업 때처럼.

"무슨 일 있으면 연락해. 또 보자."

아, 또. 저 안쓰러워하는 눈빛과 말투.

"참, 과 동기들 단톡방 생겼어. 너 나타나면 애들 완전 반가워할 거야. 전화번호 좀 줘봐. 내가 초대할게."

그리고 정확히 5분 후, 정현은 적당히 둘러대고 거절하지 못한 멍청한 자신을 자책했다.

퇴근길 내내 목에 생선가시가 걸린 것처럼 후회가 몸에 달라붙어 사라지지 않았지만 내일과 모레는 휴일이니까 괜히 마음 쓰지 않기로 했다. 상원은 분명 '메이드인 너를 결코 무시하지 않아'를 알리려는 선한 마음에서 예의상 단톡방 초대를 운운했을 것이다.

'그럴 필요 전혀 없는데.'

정현에게 출신 대학의 존재감이란 1년에 두 번, 대학 총동문회에서 보내오는 동문회보가 다였다. 어떻게 주소를 알아냈지, 뜬소문이 확대 재생산되어 도는 순간에도 누군가는 이토록 정확하게 추적해서 따라붙고 있었다. 동문회보를 들춰 보면 교직원 동정과 재학생들의 풋풋한 행사 사진, 의미 있는 사회적 성취를 이룬 동문들의 인터뷰 따위가 있었다. 그러나 결론은 어디까지나 동문회비 납부 촉구였다. 통 크게 기부를 한 동문들의 이름은 딱 그 액수의 비율만큼 큼지막했다. 물론 정현의 이름은 졸업하고 지금까지 한 번도 등장한 적이 없었다.

정현은 집 앞 편의점에 들러 2리터짜리 우유를 사면서 편의점 쓰레기통에 상원의 명함을 버렸다.

◍

정현은 근무 일과와 마찬가지로 휴일도 철저하게 루틴에 따라 움직였다. 우선 하루는 직성이 풀릴 때까지 잠을 자고 또 잤다. 이러니저러니 해도 메이드 일은 고된 육체노

동인 것이다. 두 개의 방 중 작은 방엔 퀸 사이즈 침대만 넣어놨는데 두꺼운 암막 커튼을 사시사철 쳐두었다. 창문을 열어봤자 옆 건물의 회색 벽만 보였고 햇빛도 잘 들어오지 않았다. 옆 건물의 2층은 교회였는데 잘못 걸리면 새벽기도회나 주일 아침 예배와 타이밍이 맞물렸다. 벽을 타고 넘어오는 기도와 찬송 소리에 미쳐버릴 것 같으면 이불을 머리끝까지 덮어쓰고 가볍게 자위를 했다. 그렇게 몸이 좀 노곤해지면 한숨 더 잔 후, 눈이 떠지면 오랜 시간을 들여 꼼꼼하게 몸을 씻었다.

다음 날은 은행 업무나 장보기 등 꼭 필요한 외출을 하고, 남은 시간엔 집에서 좋아하는 작가의 책을 펼쳐 들었다. 사실 책을 읽는 일은 정현에게 그리 쉬운 일이 아니었다. 조금이라도 마음에 걸리는 일이 있거나 처리해야 할 일이 머릿속에 떠오르면 시선은 글자에 머무르지 않고 어느새 책 위에서 날아다녔다. 이미 지나온, 또는 지나왔다고 생각하는 문장을 몇 번이고 다시 들여다봐야 했다. 그렇게 수차례 책장을 아래위로, 앞뒤로 수없이 오가야 책 한 권을 겨우 끝낼 수 있었는데 그럼에도 책 속 세계만큼은 남 눈치 볼 것 없이 평화로운 장소였다. 질책받지 않고, 자책할 필요가 없고, 온전히 이해받고 있다는 기분이 들게 해주는 세상. 그런 은혜로운 세상을 만들어주는 사람을, 정현은 좋아하지 않을 수가 없었다. 그분은 당신이 누군가의 은인이라는 것을 알고 있을까? '작가님'은 그런 보물 같은 존재였다.

 '작가님'은 책도 좋지만 사람도 참 매력적이었다. 존재만으로도 위로가 되고 마음을 의탁할 수 있는 대상이 동시대 같은 하늘 아래 살고 있다는 것만으로도 고마운데, 요즘은 세상이 좋아져서 SNS로 작가의 일거수일투족을 엿볼 수 있고 때로는 댓글로 대화마저 나눌 수 있었다. 정현은 책을 붙잡고 있는 것에 지치면 작가의 SNS 글을 챙겨 읽었다. 솔직히 어떨 때는 작가의 책보다도 SNS 글이 더 재미있다는 생각이 들어 조금 미안한 감정이 들었다. 하지만 짧은 SNS 글도 너무 매력적인걸! 원래도 인기가 많은 작가라 일상에 대한 재치 넘치는 단상 한 문단만으로도 호응 어린 댓글이 우수수 달렸다. 정현은 일부러 댓글 수가 적은 게시글에만 댓글을 남겼는데 그때마다 작가는 정현의 댓글에 빠짐없이 '좋아요'를 눌러줬다. 지난번에는 말귀를 못 알아듣는 덜떨어진 애가 작가에게 괜한 시비를 거는 것도 보았다. 그런 애들은 늘 비슷한 소리를 앵무새처럼 반복했다.

 ㄴ 선한 영향력을 보여주셔야……
 ㄴ 님은 공인이니까……

호텔 이야기

ㄴ 책까지 사 읽은 팬인데 실망이네요……

웃기지도 않았다. 정현은 심혈을 기울여 그런 덜떨어진 시비 글에 반박 댓글을 달았다. 올리기 전에는 몇 번이고 살펴본 후 올려도, 행여 상대가 싸움을 걸어올까 봐 조마조마해하며 가슴이 쿵쾅거렸다. 그럴수록 동시에 자신의 용기가 가상하고 뿌듯했다.

하지만 정현에게 가장 깊은 만족감을 주는 것은 댓글을 다는 것도, 대신 싸우는 것도 아닌, 작가에게 DM을 보내는 일이었다. 존경하고 좋아하는 사람에게 가장 내밀한 이야기를 털어놓는 기쁨. 물론 작가의 SNS 프로필에는 'DM은 확인하지 않습니다'라고 기재되어 있었지만 정현은 그것이 사실이 아님을 알았다. 왜냐하면 매번 DM을 보낼 때마다 아무리 늦어도 한 시간 안에는 '읽음' 표시가 떴기 때문이다. 정현은 '읽음' 표시를 볼 때마다 이루 말할 수 없이 짜릿했다. 작가의 입장상 일일이 답장해줄 수 없다는 것은 십분 이해했다. 대신 작가는, 아닌 척하지만, 곧잘 답장에 해당하는 내용을 그다음 게시 글에 빗대서 쓰는 따뜻한 배려를 보여주었다. 다른 사람들은 눈치 못 챌지 몰라도 정현은 다 간파하고 있었다.

휴일의 시간은 금세 흘러갔다. 해가 뉘엿뉘엿 떨어지

는 것을 지켜보면서 스파게티 면을 삶고 있는데 타이머가
아닌 휴대폰에서 알림음이 울렸다. 낯선 소음은 대개가 불
길했다. 역시나, 상원이 불필요한 약속을 제멋대로 지켜버
린 것이다. 무시하면 되는데 불쾌함이나 불편함보다 호기
심이라는 감정이 훅하고 먼저 솟아올랐다. 호기심을 주체
하지 못하는 건 작가들한테나 좋을진 몰라도 자기 같은 사
람에겐 그저 성가시고 난감할 뿐인 성정이었다. 그러나 이
번에도 호기심이 이기고 말았다. 정현은 초대받은 과 동기
단톡방에 입장했다.

그곳에서 매우 활발하게 대화가 오갔던 것은 재학 중
2년간 과 대표였던 세찬이 고향에서 시장 선거 출마를 앞
두고 있었기 때문이었다. 정식으로 출마를 알릴 출판 기념
회의 포스터를 올리며 세찬은 동기 친구들의 응원과 지지
를 힘차게 호소하고 있었다. 전공을 살리지 못하고 주로 금
융사나 일반 기업으로 진로를 택한 대다수의 사회학과 동
기들 입장에선 비록 인구 30만이 채 되지 않는 소도시라
해도 엄연히 선출직으로 출마하는 친구—그것도 상대적으
로 꽤 젊은 나이에—의 존재는 흥분과 대리만족을 안겨주
었을 것이다.
　[친구야, 자랑스럽다!]
　이런 댓글들이 줄을 잇는 가운데, 포스터 속 당당한 표

호텔 이야기

정의 세찬을 보며 가벼운 메스꺼움을 느낀 정현은 단톡방
에서 조용히 나가려고 했다. 상원이 갑자기 게시판 기능으
로 정현을 거론하기 전까지는.

[정현아, 어서 와! 얘들아, 나 며칠 전에 우연히 오정
현 만났어.]

상원의 글 옆에 찍힌 참여 인원 숫자가 슥슥 줄어들었
다. 과 동기들이 척척 읽었다는 뜻이었다. 하지만 정작 대
화창은 올라가는 속도가 느려지면서 마치 어떻게 반응해야
할지 모르겠다는 듯이 말을 아끼는 분위기가 되어갔다. 그
리고 조금 후.

[반갑다, 정현아. 정말 오랜만이구나. 그간 별고 없이
잘 지내고 있었으리라 믿는다.]

어색한 침묵을 뚫은 것은 조금 전까지 대화의 주인공
이었던 세찬이었다. 그리고 그의 말투는 이미 정치인의 그
것이 되어 있었다.

∞

토마토 스파게티를 허겁지겁 먹어치우고서 정현은 오
랜만에 이불 빨래를 했다. 빨래가 드럼통에서 규칙적으로
돌아가는 것을 멀거니 보면서 정현은 오래전 그 날의 기억
을 되살렸다.

유난히 맹추위가 기승을 부린 그해 겨울…… 방학 중 느끼던 미래에 대한 무력감…… 밤늦게 걸려 온 세찬의 '좋은 소식' 전화…… 학과장 추천의 한 취업 자리…… "나오면 알려줄게"라는 조건…… 호기심은 또 모든 것을 이기고…… 손님이 몇 명 남지 않은 작은 주점의 구석 자리…… 마지막 손님이던 두 사람…… 엘리베이터 앞에서의 고백…… 알코올 맛이 나던 혀…… 계단으로 끌고 가는 손…… 홀리듯 따라가는 나…… 꺾어진 계단의 층계참에서…… 저항, 저항, 저항…… 계단 낙상. 응급차 소리. 어느새 사라져버린 신고자.

정현은 사실 그날 밤의 일을 오래도록 생각해왔다. 자신의 어떤 행동이 그에게 빌미를 준 것일까? 추워서 술을 평소보다 많이 마신 것? 싫다는 말을 충분히 하지 않은 것? 덮쳐 오는 그의 몸을 충분히 세게 밀어내지 못한 것? 세찬이 강압적으로 바지 안에 손을 넣었을 때 속옷이 이미 젖어 있던 것? 과에서 가장 눈에 띄는 존재가 고백해서 들떴을까? 고백할 때는 눈도 똑바로 쳐다보지 못하던 세찬이 한 계단 한 계단 끌고 내려가면서 조금씩 표정이 변하며 당연한 권리처럼 요구하던 모습이 머릿속에 되살아났다.

"너도 좋아서 여기까지 따라왔으면서 왜 그래?"

잘못된 신호를 건넨 것이 자신이라는 듯이 탓하던 비

릿한 비아냥. 세찬의 말이 정현을 움찔하게 한 것은 사실이었다. 완전한 강제라고 단언할 수 있을까. 내 의지도 끼어 있지 않았을까.

계속 귓가에 맴도는 세찬의 말에 대한 대답을 찾지 못하는 한, 정현은 졸업식에 갈 수 없었다.

세탁 종료 알림음에 정현은 퍼뜩 정신이 들었다. 드럼 세탁기 안에서 꺼낸 차렵이불엔 젖은 흰 휴지 조각들이 덕지덕지 붙어 있었다. 차렵이불 위에 널브러져 있던 두루마리 휴지를 빼놓는다는 걸 깜빡하고 세탁기에 같이 넣어버렸던 것이다.

①①

사회에 무방비 상태로 내동댕이쳐지는 것을 조금 지연시킨 역할밖에 한 것이 없는 대학원 수료 후, 한 리서치 회사에서 직장생활을 시작하면서 정현은 자신이 가진 특수성을 차츰 자각하게 되었다. 처음엔 신입이니까 어쩔 수 없이 실수가 잦은 거라 생각했다. 주변에서도 너그럽게 이해해주며 바라봐주었다. 하지만 3년 차가 되어도 업무 실수가 잦았다. 게으름을 피우는 것도, 시키는 일을 거부하는 것도 아니었는데 정교한 일에선 일을 풀어내는 순서가

죽어도 외워지지 않았다. 그건 마치 의자에 몸이 꽁꽁 묶인 채 달리기 트랙에 서 있는 기분이었다. 참신한 아이디어는 적잖게 떠올려냈지만 추진을 해나가다가도 꾸준히 이어지지는 못했다. 집중한다고는 하는데 산만하고 허술한 구석이 많아 결과는 늘 기대에 부응하지 못했다. 한 가지 생각에 꽂혀 무의식 상태로 질주하면 12345678910이 아니라 어느새 91051683274로 뒤죽박죽이 되었다. 정현의 영민한 인상과 진정 어린 태도에 호의를 가지던 상사나 동료들도 잦고 미묘한 업무 실수들이 자기들 일에 영향을 주다 보니 점차 짜증을 냈다.

결정타는 상습적 지각이었다. 정현은 출근 두 시간 전에 일어나는데도 어느새 지각을 하고 있는 자신을 발견했다. 일찍 일어나고, 일찍 출발하면 되는 것 아닌가, 라고 누가 지적할 수도 있지만, 정현은 일찍 일어나면 일찍 일어나는 대로, 이것저것 해야 할 일이 계속 생각났다. 하지 않고는 찝찝해서 나갈 수가 없었다. 전날 미리 해두는 것도 별 소용 없었다. 그 순간에 생각 난 일을 당장 해치우는 것이 무엇보다 시급해서 다른 것들은 안중에 없었다. 부장은 상습적 지각을 명분으로 권고사직을 입에 올렸다. 평판이 더 나빠지기 전에 정현은 회사를 옮겼다. 그리고 2년 차에 똑같은 이유로 퇴사했다. 다시 옮긴 회사에서도 같은 전개가

호텔 이야기

반복되어 똑같은 이유로 1년도 못 버티고 나왔다. 퇴직금은 받지도 못했다.

혹시 사생활에서의 스트레스가 문제였을까. 남자들은 사귀는 도중 이유 없이 짜증을 내기 시작했다. 아니, 이유가 없던 게 아니고, 정현이 이유를 알아차리거나 이해하지 못했을 수도 있다. 정현이 안절부절못할수록 남자들의 짜증은 거센 비난으로 증폭되었다. 관계는 길어야 석 달을 가다 끝났다.

'나의 어떤 점이 짜증과 분노를 불러일으키는 걸까.'

그때마다 정현은 무엇이 근본적으로 문제였는지 돌아보려고 애를 써봤지만…… 역시 알 수가 없었다.

한 남자와의 관계가 반년이나 지속되자 정현은 이제야 깊은 관계를 맺고 있다는 확신에 가슴을 쓸어내렸다. 그가 정현의 빌라에 들어와 살기 시작하면서는 회사에 지각하는 것도 점차 줄었다.

'이대로 모든 게 다 잘될 거야.'

그러나 같이 산 지 두 달이 지날 무렵부터 남자는 점차 집에 들어오지 않았고 어느 날 연기처럼 자취를 감추고 말았다. 집에 두고 간 남자의 물건은 고작 귤 박스 하나의 양에 그마저도 하나같이 버려도 무방한 쓰레기뿐이었다.

'대체 왜?'

　이유라도 알려주고 떠나가주었다면. 정현은 다시 회사에 지각하기 시작했다. 그리고 얼마 뒤, 세 번째 권고사직을 받았다.

∞

　여러 회사에서 같은 상황이 반복되니, 또다시 구직을 할 엄두가 나지 않았다. 당분간은 가만히 숨죽이고 있는 것 말고는 방법이 보이지 않았다. 늦게 자고 늦게 일어나는 동안 은행 잔고는 착실히 줄어갔다. 점심시간이 다 되어서 눈이 떠지면 자신이 쓰레기를 파먹고 사는 벌레 같다는 생각을 했다. 몇 날 며칠을 다른 사람과 말 한마디 섞지 않고 지내다 보니 사람의 말소리가 그리워졌다.

　어느 날 아침, 배경음악처럼 틀어두었던 아침 생방송 프로그램에서 어딘가 무척 낯익은, 익숙한 이야기가 정현의 귀에 예리하게 꽂혔다. 검은색 그림자 실루엣의 여자 의뢰인은 두서없이 자신의 증상과 그간 살아오며 겪은 일들을 패널로 나온 의학 전문가에게 털어놓고 있었다. 그것은 정현의 이야기였다. 어렸을 때 특이하다는 말을 종종 들었던 것, 물건을 유난히 잘 잃어버렸던 일까지도 똑같았다. 자신의 이야기를 남의 입으로 고스란히 듣는 것 같아 팔에

· 100 ·

닭살이 돋았다.

"이 병을 모르는 사람들은 그저 성격이 별나고 제멋대로라고 오해하기 쉽습니다. 특히 회사에서는 업무 실수에 대한 변명으로 받아들이죠."

네모난 얼굴의 의학 전문가는 카메라에 시선을 고정하며 청산유수로 진단을 내렸다. 의뢰인의 고충을 충분히 이해한다는 직업적 미소를 가끔 곁들이면서.

'성인 AD…HD…….'

다른 방송 패널들이 과장된 표정으로 추임새를 넣을 동안 정현의 머리 안에서는 불가해했던 여러 사건들이 고장 난 필름처럼 재빠르게 돌아갔다.

"약을 먹으면 도움이 되지만 충동성을 누르고 주의력을 높이도록 환자 스스로 노력해야 해요. 가까운 사람들에게는 말을 하는 게 좋지만, 그분들도 완전히 이해해주기는 어려울 거예요."

완전히 이해해주기는 어려울 거예요.

막연히 느끼고 있던 것을 제3자의 입으로 고스란히 듣고 있으니 정현은 심장 고동이 점점 빨라졌다.

세상 사람 대부분은 완전한 이해는커녕, 저 의뢰인과 자기 같은 종류의 인간은, 자기 좋은 대로만 하려는 사람이라고 생각할 것이었다. 누구나 욕구를 누르고 사는데, 그런 노력을 일절 하지 않는 이기적이고 게으르고 무기력한 인간이 핑계나 대는 것으로 보일 것이었다. 사람들은 한 발짝 물러서서 강 건너 불구경할 때와는 달리 자신의 이해관계가 걸려 있는 사안에는 그다지 관대하지 못했다.

그날 밤, 정현은 밤을 지새우며 성인 ADHD에 대한 정보를 찾고 또 찾았다. 퍼즐이 하나씩 풀리는 약간의 개운함과 이것을 평생의 지병으로 받아들여야 하는 막막함이 충돌했다.

다음 날 눈이 퉁퉁 부은 채 일어난 정현은 한 가지 결심에 도달했다. 나는 적극적으로 수동적이 될 것이다, 라고. 약에 의존하는 대신 내 상태에 환경을 맞출 것이다. 그것은 사람들과 적극적으로 호흡을 맞추거나 상호작용해야 하는 직업을 포기하는 것을 의미했다. 그로부터 얼마 후 정현은 그라프 호텔의 하우스키핑 메이드 구인 광고를 발견했다.

수동적이 될 수 있는 일.
지루하더라도 실수에 대한 부담이 크지 않은 일.
일의 순서가 명확하고 시작과 끝이 확연히 보이는 일.
오늘 일이 다음 날로 이어지지 않는 일.

다른 사람들과 함께하지 않아도 되는 일.

정현은 속으로 자신에게 마련된 새로운 삶의 조건을
재차 읊조렸다. 제출할 이력서에 대학이나 대학원 이름, 여
러 회사 근무 경력들은 뺐다.

정현은 3일 근무를 해보고, 과연 호텔 하우스키핑 업
무란 모든 게 한눈에 보이고 위치가 정해져 있어서 능숙해
지기만 한다면 실수할 가능성이 적다는 것을 확인했다. 담
당해야 하는 객실이 열 개가 넘지만 모두 똑같이 생긴 디럭
스룸이라 별로 헷갈릴 일도 없었다. 반복적인 훈련으로 터
득한, 가장 효율적인 순서와 동선대로 착착 움직이다 보면
긴장과 불안이 섞이지 않은 산뜻한 성취감이 밀려왔다. 일
을 하면서는 난생처음으로 충만감을 느꼈다. 쉬는 날에는
책을 읽으며 푹 쉬었다.
  '삶이 이렇게 평화로울 수도 있구나.'
  정현은 새로이 맞이한 심플하고 호젓한 삶에 서서히
적응해나갔다. 인생에는 그리 많은 것이 필요하지 않았다.

⑪

휴일이 지나고 맞은 출근길에 모르는 번호로 전화가

걸려 왔다. 호텔에서 가장 가까운 버스 정거장에서 막 내린 참이었다.

"나야."

대화를 희한하게 시작하는 남자였다. 잘못 걸어온 전화로 간주하고 끊으려는데 남자가 말을 이었다.

"상원이한테 번호 물었어."

그제야 세찬의 목소리를 알아들었다. 스피치 훈련을 받은 사람처럼 더 천천히 더 낮게, 그리고 없는 권위를 끌어모아 꾹꾹 눌러 담으려고 애쓰는 어떤 말투.

"그런데 정현이 너…… 지금 호텔에서 일한다며?"

이어지는 말은 마치 나무라는 것처럼 들리기도 했고, 안쓰러워하는 것처럼 들리기도 했다.

"무슨 일이야?"

정현은 죄를 지은 사람처럼 목이 메었다.

"내가 그 뒤로도 종종 네 생각을 했거든? 그때는 너한테 좀 미안했다 싶지……."

정현은 얼굴에 열이 확 오르면서 발걸음도 덩달아 빨라졌다.

"뭐 미안할 일 했었나?"

의외로 가볍게 받아치는 정현의 목소리에 조금 안도했는지 세찬의 목소리 톤이 예전으로 돌아왔다.

"아니 그럴 일은 아니었지. 치기 어릴 때고…… 그래

호텔 이야기

그때 내가 너 좀 짝사랑했었지. 근데 너도 알다시피 내가 지금 인생을 건 도전에 나섰잖아…… 이런 일 하다 보면 정말 별의별 인간들이 다 찾아와서 과거에 내가 자기한테 이랬네 저랬네 시비를 걸어오거든…… 말이 시비지 그냥 협박이야. 아주 미쳐버려요. 너는…… 내가 이렇게 예민하게 구는 거 이해하지……?"

　　이해…… 사람들은 항시 누군가로부터 이해받고 싶어 했다. 그리고 때로는 용서를 구해야 할 상대에게 이렇게 터무니없는 이해를 구하기도 했다.

　　정현이 전화기를 든 채 한참을 침묵하자 수화기 너머로 마른침을 꿀꺽 삼키는 소리가 들렸다. 유달리 툭 솟아 있던 세찬의 목젖이 귀에 닿을 것만 같았다.

　　"괜한 신경 꺼. 나 출근했어."

　　정현은 이제 막 호텔 건물의 직원 입구에 들어서 출퇴근 카드를 찍을 참이었다.

　　"참, 그런데 너는 왜 대학원까지 나와서 호텔에서 그런 일을……"

　　세찬이 다시 비난조로 태세를 바꾸는 것을 보고 정현은 말없이 전화를 끊었다. 그리고 무표정한 얼굴로 서둘러 개인 로커에서 유니폼을 꺼내 갈아입고 주간 조례가 열리는 회의실로 향했다.

이미 조례는 시작된 뒤였다. 정현은 소리 나지 않게 맨 뒷자리에 섰다. 다른 특급 체인 호텔들은 하우스키핑 업무를 청소 용역 회사에 일임한 지 오래였지만 그라프 호텔은 아직 자체적으로 관리했다. 그 말인즉슨 직원들이 자주 들고 나서, 주간 조례에선 이번 주가 마지막 근무이거나 반대로 이번 주가 첫 근무인 사람들이 많았다. 직원 관리 스트레스의 여파인지 하우스키핑 부서장의 정수리 탈모는 나날이 두드러져갔다. 그는 출근도 하기 전에 퇴근이 간절한 직장인의 표정으로 매번 같은 이야기를 반복했다. 호텔에서 우리 부서의 이직률이 가장 높아 매우 안타깝다…… 부디 주인의식을 가지고 업무에 임해주기 바란다…… 하우스키핑은 호텔 서비스의 근본이다…… 복도에서 투숙 손님과 마주치면 꼭 인사해주기 바란다…… 하지만 잡담은 곤란하다…… 여러분 하나하나가 호텔의 얼굴이며…… 마무리로 새로 입사한 아무개를 소개하고 옆에서 지도 편달할 누군가를 지목했다. 기백 번은 들었던 레퍼토리였다.

한데 오늘은 평소의 흐름과 사뭇 달랐다. 뒤늦게 들어온 정현은 무슨 영문인가 싶었다. 동료 메이드들 사이에선 어렴풋한 긴장감과 작은 소요가 감지되었고 부서장은 최대한 침착함을 가장하려 하지만 쉽지 않아 보였다. 중간부

호텔 이야기

터 들어서 대체 무슨 말인가 싶었는데 이내 정현은 불길한 기운의 이유를 알아차렸다.

"······그렇다 하더라도 아직 반년이나 남은 셈이니 마지막까지 최선을 다해서 일해주시기 바라고······ 혹시나 이직을 하실 경우, 동료들에게 누를 끼치지 않기 위해 반드시 한 달 전엔 미리 알려주시고······ 어쩌면 호텔의 상황이 중간에 달라질 수 있으니 너무 낙담하지는 말아주시고······."

메이드들의 당혹스러운 표정은 점차 원망 어린 표정으로 변해갔다. 부서장 이 새끼야 넌 이미 훨씬 전부터 알고 있었으면서 이제 와서야 말하는 거 아니야, 같은. 마치 그녀들의 마음속 목소리가 들리는 양, 부서장은 정수리에 자꾸 손바닥을 갖다 댔다. 하루아침에 불안정한 직장이 되어버린 상황에 대한 원망을 그럼 누구한테 쏟아낼 수 있을까. 하지만 부서장은 이내 정신을 바짝 붙들어 매고 본래의 꼬장꼬장한 어투로 조례를 마무리 지었다.

"아 참, 잊기 전에. 구매팀에서 공유를 부탁한 얘기인데요, 호텔 비품이 요새 빈번하게 중고 시장 매물로 올라온다고 합니다. 가뜩이나 어수선한데 아무쪼록 우리 부서에서도 이와 관련해 오해받지 않도록 각별히 조심해주시길······."

자신들을 의심하는 뉘앙스의 발언에 메이드들은 기가

막힌 듯 서로의 얼굴을 쳐다보며 고개를 절레절레 흔들었고 머쓱해진 부서장은 그 말을 마지막으로 회의실을 먼저 빠져나갔다.

"저거 저거 완전 우리를 좀도둑 취급하네."

고참 메이드 희숙이 껌을 씹으면서 혀를 찼다.

메이드들이 구시렁대며 하나둘 회의실을 나간 후에도 정현은 후들거리는 두 다리를 겨우 지탱시키며 한구석에 서 있었다.

"괜찮아? 지금 얼굴 허옇게 떴어. 자기도 좀 놀랐나 보네."

희숙이 마지막으로 회의실을 빠져나가면서 정현을 힐끗 쳐다보며 말했다.

"……."

"에휴, 뭐 어디 일자리 하나 없겠어? 얼굴 펴, 쯧."

희숙의 말이 일리가 없진 않았다. 나 하나 먹여 살릴 일자리 하나쯤은 찾아보면 있을 것이다. 다만 자신은 그들에겐 없는, 세상으로부터 이해받지 못하는 병을 감당해야만 했다. 계속 해나갈 수 있는 일을 찾아 겨우 적응했는데 다시 세팅을 해야 한다고? 그 과정을 처음부터 새로 시작할 상상을 하니 금방이라도 과호흡이 올 것만 같았다.

휘청대는 몸을 가까스로 추스른 정현은 어메니티 카

호텔 이야기

트를 끌고 첫 번째 객실에 들어서자마자 화장실로 들어가 세면대에서 헛구역질을 했다. 그러고는 변기 뚜껑을 내리고 그 위에 걸터앉아 호주머니에서 휴대폰을 꺼냈다.

작가님,
작가님은 살다가 갑자기 너무 힘든 일이 닥치면
어떻게 그 상황을 감당하세요?
지혜롭고 생각이 깊은 작가님이시니
늘 좋은 방법을 알고 계시겠죠……
저는 그저 남들한테 민폐 끼치지 않고 살기 위해 애쓰는, 평범한 사람일 뿐인데
왜 불시에 이런 고통스러운 일들이 제게 일어나는 걸까요?
저요,
원래 답장 같은 거 바라는 사람 아닌데요.
오늘은 정말 많이 힘들고 답답해서 작가님이 뭐라도 한마디 해주면 좋겠어요.
전 남들 귀찮게 하는 거 정말 싫어하는 사람인데
혹시 귀찮게 했다면 죄송합니다.

횡설수설이라도 조금 쏟아내니 메스꺼움이 한결 가신 것 같았다. 처음으로 '작가님'에게 독백이 아닌 질문을 써

서 보냈다. 가슴이 두근거렸다. 휘몰아치듯 타이핑을 했건만 막상 DM을 보내기 전에는 잠시 손가락이 멈칫하긴 했다. 도리어 보내기 버튼을 누르고 나니 예민했던 신경이 차분히 가라앉고 초연한 심경이 되었다. 이걸로 된 것이다.

'분명히 이해해주실 거야.'

정현은 입술을 꾹 깨물고 벌떡 일어나 자신에게 주어진 일로 돌아가기로 했다. 쓰레기를 비우고⋯⋯ 침구를 교체하고⋯⋯ 청소기를 돌리고⋯⋯ 비품을 체크하고⋯⋯ 전날 밤 숙박한 손님의 흔적을 완벽하게 지워내는 일. 어떤 고통스러운 일을 겪어도 손발은 저절로 움직였다. 나의 자리에서 나의 일을 열심히 하는 것, 그래야 하루도 빠짐없이 꾸준히 원고 작업을 하는 작가 앞에서 떳떳할 것 아닌가.

◍

퇴근 시간이 되어 사복으로 갈아입고 직원 출입구를 나서며 정현은 휴대폰을 열어 DM을 체크했다. 일하는 도중 짬짬이 답신이 들어왔나 확인하고 싶었지만 퇴근 때까지 꾹 참았다. 심란한 감정을 잘 억누르고 하루 일과를 평소처럼 무사히 마친 스스로에게 상을 주고 싶었다. 자신이

호텔 이야기

보낸 DM은 평소처럼 '읽음'으로는 떠 있었지만 답신은 없었다.

　'원래 답장 같은 거 바라는 사람 아닌데.'
　'남들 귀찮게 하는 거 정말 싫어하는 사람인데.'

　한데 몸은 극심한 실망감을 드러냈다. 울먹임은 목 끝까지 차올랐고 귀갓길 버스 안에서도 안절부절못해 도중에 내려야 하나 고민했다. 분명 '작가님'에게 다른 다급한 용무가 있었을 거였다. 한숨 돌리고 나면 분명히 늦게라도 답장을 줄 분이었다. 겉으로는 냉정해 보여도 속마음은 따뜻한 사람이었으니까.

　'오늘 많이 바쁘셨나 보다……'

　작가의 하루가 자신과는 달리 평온했기를 바라며 오늘 자엔 무슨 사진과 글을 올렸는지 보러 그의 SNS 계정에 들어갔다. 별일이 없어도 그는 꾸준히 원고 작업하는 모습이나 장소, 혹은 그날의 점심 식사 메뉴를 사진 일기처럼 올려주곤 했으니까.
　하지만 정현은 당연한 일상처럼 즐겨보던 그것들을 도저히 찾을 수가 없었다. 이상하다, 싶어 작가의 계정 주소를 검색해서 들어가보았다. 새하얀 백지 상태 화면에 '검색 결과 없음'이라는 동강 난 문장만이 둥둥 떠 있었다.

<終>

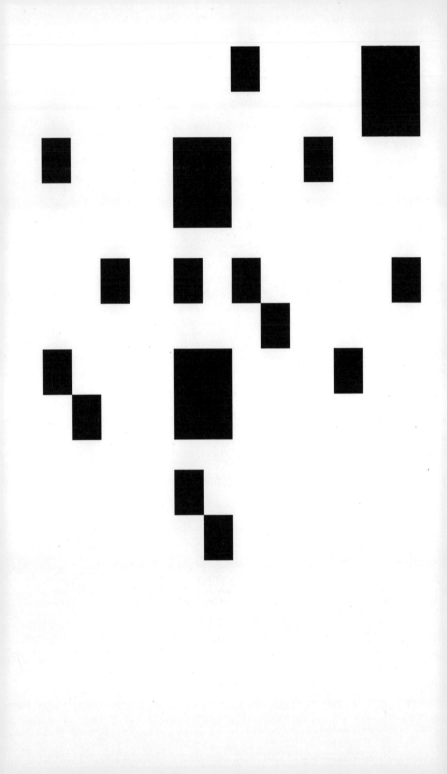

야간 근무

사람을 관찰하는 것이 직업적 습관이 되어버렸지만 가급적 판단만큼은 내리지 말자고 다짐하며 글을 써왔다. 판단은 작가의 책무가 아니라고 생각했다. 세상을 관찰할수록, 절대적이거나 확실한 것은 없었다. 흑백을 대신하는 헤아릴 수 없을 만큼 두터운 회색 스펙트럼이 있다는 것만이 진실에 가까웠다.

　　그러한 다짐에도 불구, 일상생활의 나는 수도 없이 타인에 대해 판단을 내리며 살았다. 특히 일을 잘하고 못하고에 대해서만큼은 더욱 가차 없이 그랬다. 일을 못하는 사람에 대해서는 말을 꺼내는 것조차도 아깝다. 반대로 보고 있

으면 기분이 다 좋아질 정도로 자신에게 주어진 일을 잘해
내는 사람들을 우연한 기회에 만나기도 했다. 비록 짧은 조
우로 끝난다 해도 그들은 늘 깊은 인상을 남겼다.

　　밤 10시 조금 넘어 택시는 그라프 호텔의 정문 앞에 멈
춰 섰다. 싱가포르에서 사업을 하는 친구는 출장차 한국에
올 때면 늘 구도심 산기슭에 위치한 이 호텔에 묵었다. 낮
과 밤, 여러 미팅을 소화하느라 밤늦게만 겨우 시간이 나서
내가 이곳으로 자러 왔다. 바깥에서 만나기보다 트윈 침대
가 있는 방에서 잠옷 바람으로 맥주 한 캔씩 마시며 그간의
이야기를 조곤조곤 업데이트해주는 것이 오랜 우정의 루
틴이었다.

　　마르고 키가 훤칠한 젊은 도어맨이 택시 문을 열어주
며 환대의 인사를 건넸다. 인사가 미처 끝나기도 전에 나는
그의 얼굴을 올려다보며 눈을 크게 떴다.

　　"동주 씨가 왜 여기……?"

　　그를 알게 된 건 작년 가을의 한 국제도서전에서였다.
그날 모 출판사에서 나의 사인회를 마련했던 것인데 그로
부터 두 달여 전에 발간된 신간은 출간 직후 연이어 세 차
례나 중쇄를 찍으며 출판사 대표를 잠시 흥분하게 했지만
열기는 보름도 되지 않아 훅 꺼지고 말았다.

호텔 이야기

"잘나가다가 왜 갑자기 이러죠?"

아쉬워하는 내 푸념에 담당 편집자는 더없이 상냥한 미소를 머금으며 대답했다.

"저희 책이 더 큰 도약을 하기 전에 잠시 숨을 고르는 중일 겁니다."

애석하게도 작은 도약조차 끝내 찾아오지 않았고 출판사는 대신 이번 기회에 작은 사인회를 마련한 것이었다. 냉정하게 말해 나는 여전히 '알 만한 사람만 아는' 작가여서 사인회 줄이 길지 않을 거라는 것은 모두가 알고 있었다. 담당 편집자도 잠시 옆에 서 있다가 도서전 마지막 날이라 뒷마무리할 일이 있다며 양해를 구하고 자리를 비웠다. 혼자 덩그러니 식탁보 같은 것을 깐 작고 둥근 테이블 앞에 앉아 있던 그날의 나는 아마도 인기 없는 거리의 타로 점술사처럼 보였으리라. 이런 상황을 충분히 예상했기에 출판사에 서운하다거나 사람들 앞에서 창피하지는 않았다. 다만 공교롭게도 같은 날 같은 시각에 대각선 건너편 출판사 부스에서 당시 최고의 인기를 누리던 S 작가의 사인회와 겹치게 한 것만은 업무 미스가 아닐까 싶긴 했지만.

나는 펜을 빙글빙글 돌리며 끝이 안 보이는 S 작가의 사인회 줄 대신 고개를 옆으로 돌려 출판사 부스에서 부지런히 판매를 돕거나 책을 나르던, 데님 앞치마를 두른 아르바이트생 동주의 야무진 동작을 보고 있기로 했다. 그리고 나는 그때 막연히 '일을 잘하는 친구구나'라고 생각했던 것 같다. 일이라는 것은 그것이 순환되는 원리에 대한 포괄적인 이해와 프로세스를 몸에 적응시키는 감각, 그리고 타인이 필요로 하는 것을 적절한 시점에 파악하는 눈치가 구비되어 있다면 잘할 수밖에 없었다.

한여름의 붕어빵집 같던 나의 테이블에도 짬짬이 몇몇 독자들이 사인을 받으러 왔고 그때마다 동주는 재빨리 정황을 포착하고 내가 혼자 독자를 응대하지 않도록 신경 썼다. 흡사 담당 편집자인 양, 내 뒤에서 두 손을 앞으로 가지런히 모으고 서 있다가 조용히 묵례하며 독자들을 맞이하고, 테이블 위의 판매용 책이 조금이라도 빠지면 바로 채워 올려 풍성해 보이도록 조치를 취했다. 사인회가 끝날 무렵에는 나지막이 팬이라며 내 책을 직접 사서 사인을 받아 갔다. 요즘 아르바이트생들은 조금만 힘들어도 말없이 관둬버리고 그다음 날 나오지 않는다며 작금 청년들의 근면성과 직업의식을 개탄하던 자영업자 지인들의 하소연을 익히 들었던 터라 성실하고 센스 있는 동주가 상대적으로 더욱 깊은 인상을 심어주었던 것 같다.

"앗, 안녕하세요, 작가님?"
모자와 연미복 스타일의 도어맨 유니폼을 착용한 지

금의 동주는 무척이나 달라 보였지만, 속눈썹이 긴 선하고 서글서글한 눈매만은 여전했다. 내가 타고 온 택시 뒤로 몇 대의 차가 연이어 들어와 나는 그와 짧은 인사만을 나누고 헤어졌다.

◑

장편소설을 쓰던 중이라 리듬이 깨지면 여러모로 곤란했다. 매일 아침 일찍 정해진 시간에 원고 작업을 하던 나는 전날 밤 친구에게 양해를 구하고 다음 날 아침 6시경에 호텔 방을 나왔다.

로비 회전문을 빠져나와 밖으로 나오니 파삭한 초가을의 아침 공기가 상쾌했다. 호텔 건물 맞은편에는 단풍나무, 은행나무, 소나무, 그리고 벚나무로 촘촘하게 가득 찬 숲이 웅장하게 자리 잡고 있었다. 허리를 바짝 세우고 두 손을 앞으로 모으고 서서 그 풍경을 바라보는 동주가 보였다. 인기척을 느낀 그가 몸을 돌렸다. 수줍게 반가워하며 인사하는 그에게 나는 짧게 삐쳐 나오는 하품을 참아가며 물었다.

"밤새도록 일한 거예요?"

"네, 작가님. 저는 야간 근무 조예요. 곧 교대 시간이네요."

동주가 흰색 장갑을 낀 손을 들어 손목시계를 확인했

다. 근무 시간에 휴대폰을 보는 것은 금지되었을 것이다.

"어제는 서둘러 친구한테 올라가느라고…… 그동안 어떻게 지냈어요?"

"저는……"

동주는 갑자기 말꼬리를 흐리며 시선을 피하듯 숲 쪽으로 눈길을 주었다.

"무슨 일, 있었어요?"

다시 조심스럽게 묻자 동주가 엷은 미소를 띠며 고개를 좌우로 흔들었다.

"아니에요. 전 잘 지냈어요. 택시 불러드릴게요. 지금 시간이면 저 아래쪽에 차가 몇 대 있을 거예요."

나는 고개를 끄덕였다. 그런데 야무진 손놀림으로 무전기 호출을 하려던 그가 잠시 손을 멈추더니 망설이는 기색으로 어렵게 다시 말문을 열었다.

"혹시…… 작가님 시간 괜찮으시면 근처에서 같이 아침 식사 안 하실래요?"

뜻밖의 초대에 조금 놀라기도 했고, 이미 말했듯이 장편소설 작업 중엔 매일 정해진 시간에 쓰는 일이 중요했기에 잠시 망설였다. 하지만 그에겐 뭔가 긴히 하고 싶은 말이 있었고, 지금도 그가 무척 어렵게 꺼낸 말이라는 것만큼은 알 수 있었다. 글 쓰는 일을 오래 하다 보면 저절로 생기는 육감 같은 것이었다.

호텔 이야기

"좋아요, 대신 뭘 먹으러 가는지는 모르겠지만, 제가 사는 겁니다."

나는 최대한 경쾌하게 대답하며 그가 사복으로 갈아입고 나오기를 기다렸다.

○○

동주는 산기슭을 따라 인도로 내려와, 아침 7시부터 여는 거의 쓰러져가다시피 하는 낡은 한옥으로 나를 데려갔다. 북엇국을 파는 식당이었고 우리가 첫 손님이었다.

"주중에는 아침 일찍부터 직장인들이 줄 서서 먹는데 토요일 아침에는 한산해요."

동주는 맨 구석 자리에서 식당 안을 둘러보며 말했다. 바로 내온 북엇국 백반을 우리는 한참을 말없이 천천히 먹었다. 거의 다 먹어갈 즈음에 내가 먼저 말문을 열었다.

"다시 제대로 물어봐야 할 것 같아요. 그동안 잘 지낸 거 맞아요?"

동주는 연신 움직이던 수저를 멈추고 고개를 푹 숙였다. 어떻게 말을 할까 고민하는 기색이었고 눈동자의 빛은 희미하게 꺼져가고 있었다.

"내 정신 좀 봐, 아까 반주 시킨다는 걸 까먹었네."

딴청을 피우며 나는 식당 이모님께 소주를 주문했다.

마치 주당이라도 되는 것처럼.

"아까 답변이 정직하지 못했던 걸 역시 꿰뚫어 보셨네요."

내가 따라주는 술을 공손히 받은 그는 입술만 적시고는 계속 술잔만 만지작댔다.

"잘 지내지 못한 걸, 잘 지냈다고 애써 말할 필요는 없는 것 같아요."

조금 긴장이 풀린 듯 동주는 눈꼬리를 내리며 작은 한숨을 내쉬었다.

"맞아요, 그래요."

"무슨, 저한테 하고 싶은 말 있었어요?"

동주는 허를 찔린 듯 피식 웃다가 이내 시린 슬픔의 표정이 얼굴 전체로 서서히 퍼져갔다. 그것을 무리해서 다시 담담한 미소로 바꿔보려고 했지만 이내 실패했다. 대신 그는 만지작거리기만 하던 술잔을 단숨에 비웠다. 그러고는 단어를 또박또박 발음하는 일에 집중하며 말문을 열었다.

"작가님, 누군가를 진심으로 아낀다면 도대체 어디까지, 얼마만큼 증명해 보여야 하는 거죠?"

그가 고개를 들어 내 두 눈을 뚫어지게 쳐다보면서 물었다.

호텔 이야기

◑

　이것은 그가 '애정'이라는 감정을 증명하려고 애쓴, 한 여자와의 이야기다. 그 일은 무모했을 수도 있고 나름의 의미나 가치가 있었을 수도 있다. 판단은 누구의 몫도 아니다. 다만 큰 용기를 내어 한 그의 이야기가 편견으로 읽히지 않도록, 억울하게 곡해되지 않기만을 바랄 뿐이다.

◑

　동주는 도서전이 끝나고 복학을 준비하며 한 사설 미술관에서 안내원 아르바이트를 했다. 그는 돈이 필요했다. 아버지는 동주가 중학생 때 교통사고로 돌아가시고 어머니는 재작년에 재혼을 했기에 대학 등록금과 생활비는 스스로 해결하고 싶었다. 단기간 내에 돈을 많이 벌 수 있는 공사 현장이나 이삿짐센터 일도 있었지만 동아리 선배에게 소개받은 미술관 안내원 아르바이트는 일에 비해서 페이가 기대보다 괜찮았다.

　미술관은 공공 미술관만큼 규모가 크진 않았지만 3층 건물을 통으로 사용했고, 젊은 커플이나 친구끼리 인증사진을 남기기 위해 들르는 트렌디한 기획 전시보다는 예술적 심미안을 가진 미술 애호가들이 좋아할 법한 취향 좋은 전시로 인정받는 곳이었다.

　미술관 안내원이라 해도 가만히 서 있을 때가 많았고, 이따금 관람객들이 그림에 너무 가까이 다가서서 만지려고 하거나, 플래시를 터트리면 안 되는 작품에 사진을 찍으려고 하면 그것을 저지하는 일을 했다. 처음엔 가만히 전시관 안을 살피는 일이 세상 편한 아르바이트라고 짐작해서 들어온 이들도 막상 가만히 있는 게 얼마나 힘든지를 깨닫고 금세 그만두곤 했다. 반면 동주는 가만히 앉아 있거나 서 있는 것을 괴로워하지 않았다. 한여름에 놀이동산에서 가만히 서서 손 흔드는 일을 했었는데, 털옷에 육중한 사자 머리를 쓰고 손 흔드는 아르바이트에 비하면 미술관 일은 가볍고 산뜻했다.

　그 동네엔 크고 작은 미술관과 갤러리들, 카페와 식당이 밀집해 있었다. 주말에는 관람객들로 꽤 붐볐지만 주중에는 한산한 편이었다. 그 여자는 열흘에 한 번꼴로 혼자 그림을 보러 왔다. 오픈하는 오전 11시에 맞춰 올 때도 있었고, 점심시간이 지난 오후 2시경에 올 때도 있었고 때로는 문을 닫기 전인 오후 5시에 입장할 때도 있었다. 몸은 호리호리한 편이었지만 볼살이 통통해서 실제 나이보다 젊어 보였다. 담당 학예사가 한산할 때는 의자에 앉아 책을 읽어도 좋다고 해서 동주는 미술관 2층 구석 의자에서 부피가

　　　　　　　　　　　호텔 이야기

얇은 시집을 읽으며 가끔 고개를 들어 관람객들의 동정을 살폈다.

   미술관에는 전시 나들이를 온 3, 40대 여자들이 많았다. 겉으로 보이는 것보다 실제로는 그림에 관심이 없는 경우가 더 많았다. 그들은 작품 감상보다 작품을 감상하는 자기 자신에 더 열중했는데 대개는 두세 명씩 같이 왔고, 한껏 멋을 내고 작품 앞에서 포즈를 취한 서로의 사진을 열심히 찍어주는 과업이 끝나면 인근의 새로 생긴 인기 식당으로 자리를 옮겼다. 이따금 동주는 그들의 단체 사진을 찍어주었는데 한 명이라도 잘 나오지 않으면 그 사진은 무효가 되기에 여러 장을 연속으로 찍는 요령도 터득했다.
   그 여자의 존재를 처음 의식하게 된 것은 그녀가 다른 사람들과는 달리 늘 혼자 왔고 그림 하나하나를 정말 오랜 시간에 걸쳐 찬찬히 관람했기 때문이었다. 같은 전시를 몇 번이고 다시 보러 오기도 했다. 하지만 사실 그 여자가 동주의 눈에 띈 진짜 이유는 걸을 때 다리를 끄는 습관 때문이었다. 정확히는 마치 발레리나처럼 걸음을 옮길 때마다 왼쪽 무릎은 살짝 구부리고 오른 다리로 반원을 그리며 앞으로 나아갔다. 처음 그 모습을 보았을 때 내심 놀라 한참을 지켜보던 동주는 시선을 피하다가 그 여자와 눈이 마주쳤었다. 무례했을 자신의 행동이 부끄러워 얼굴이 빨개졌는데 정작 그녀는 눈을 가늘게 뜨며 엷은 미소를 지어주었다. 그런 시선에 익숙하니 괜찮다고 말하는 것처럼.

한번은 어서 나가자고 칭얼대는 어린아이에게 가방에서 소보로빵을 꺼내 준 보호자가 있었다. 보호자가 시간에 쫓기듯 그림을 보는 동안 아이는 빵을 손에 들고 미술관 안을 휘젓고 다니며 빵부스러기를 흘렸다. 동주는 시집을 덮고 보호자에게 다가가 전시실 내에선 취식 금지고 다른 손님의 관람에 방해가 되니 자제분을 잘 챙겨달라고 정중히 당부했다.

"육아하면서 미술관 오는 거, 쉽지 않거든요? 잠깐이면 보고 나갈 건데 그걸 못 참아줘요? 여기에 저 말고 저기 한 분밖에 없으니 저분만 괜찮으면 되는 거죠?"

도리어 앙칼지게 성을 낸 보호자가 손가락으로 가리킨 '저기 저 한 분'은 전시실 반대편에 서 있던, 이젠 뒷모습만 보고도 알 수 있는 바로 '그 여자'였다. 그날은 짙은 네이비색 롱코트를 입고 연핑크색 목도리를 두르고 있었다.

아무래도 보호자는 여자들은 모두 같은 편이라는 확신을 가졌던 것 같다. 동주는 이 상황에서, 참고 눈감아주는 유연함이 필요한지, 굽히지 않고 한 번 더 미술관 측의 방침을 관철시키는 소신이 필요한지, 혹은 1층 사무실 직원분에게 이 상황의 핸들링을 넘기는 요령이 필요한지, 낮게

호텔 이야기

한숨을 내쉬며 세 갈랫길 사이에서 숙고했다. 그때 작지만 단호한 목소리가 저만치서 들렸다.

"저는 괜찮지 않고요, 관람 예절 좀 지켜주시면 좋겠습니다."

그렇게 상황은 바로 정리되었다.

◯◯

그날 동주는 어머니의 생신 축하 모임 때문에 미술관에 양해를 구하고 한 시간 일찍 조퇴해서 지하철역까지 터덜터덜 걸어가고 있었다. 이미 밖은 서서히 땅거미가 지고 있었고, 날씨 예보에는 없었던 진눈깨비가 매서운 속도로 흩날리기 시작했다. 모자도 우산도 없던 동주는 걸음을 재촉하는 것 말고는 방도가 없었다. 발걸음이 빨라지면서 모락모락 하얀 입김이 새어 나오던 동주 앞에, 은색 세단 한 대가 속도를 줄이며 다가와 멈춰 섰다. 조수석 창문이 내려가고 발그레한 복숭아 뺨이 드러났다.

"미술관 직원분이죠? 지하철역까지 가는 거면 데려다드릴게요."

그 여자였다.

역까지 500미터는 족히 남아 있는데 진눈깨비는 어느새 굵은 눈보라로 변해 있었다. 궂은 날씨에 타인—그래도 서로의 존재를 익히 알고 있던—의 친절을 마다하지 않는 것이 그때는 타당한 일처럼 느껴졌다. 나중에 동주는 그날의 저녁을 돌이킬 때마다 'WHAT IF'라는 영어 표현을 떠올렸다. 만약 진눈깨비가 조금만 내리다가 그쳤더라면. 그날의 행선지인 어머니가 새아버지와 사는 동네가 그녀의 동네와 가깝지 않았더라면. 원래 의도대로 지하철역에서 내렸더라면. 열선으로 데워진 조수석이 그토록 안락하지 않았더라면. 연휴 전이라 유달리 길이 막히지 않았더라면. 그랬다면 모든 것이 달라졌을 것이다. 가정법이 소용없다는 것을 알면서도 그런 세부 조건들이 하나둘 모여 동주는 결국 한 시간 가까이 어둑어둑한 차 안에 그녀와 같이 있게 되었다. 아니 어쩌면 이 모든 것들은 핑계에 불과하고 단순히 두 사람은 서로에게서 떨어지기가 싫었던 것일지도 모른다.

"무슨 책을 맨날 그렇게 열심히 읽는 거예요?" 그녀가 좌회전 깜빡이를 켜며 물었다.

"시집이요."

"누구?"

"……메리 올리버요."

말하면서 동주는 귀밑까지 얼굴이 빨개졌다.

"흐음……."

그것이 감탄인지, 심드렁함의 콧소리인지 동주는 분

호텔 이야기

간이 잘 가지 않았다. 그 여자는 동주의 무릎 위 배낭을 힐 끗 쳐다보더니 작게 틀어두었던 클래식 FM 라디오의 볼륨을 더 낮추고 억양 없는 목소리로 물었다.

"가는 길에 좋았던 시 몇 편 읽어주지 않을래요?"

어느덧 흐릿한 창밖의 거리에는 가로등 불이 하나둘 켜지고 있었다. 눈을 끔뻑이는 동주를 다시 힐끗 보고 그녀가 덧붙였다.

"저도 그 시인 좋아하거든요."

동주가 배낭에서 메리 올리버의 시집을 주섬주섬 꺼내자 그녀는 차 안 조명을 켜주었다. 동주는 잠시 머뭇거리다가 숨을 한번 깊이 들이마신 후 접어둔 페이지를 천천히 읽어나갔다.

"착하지 않아도 돼.

참회하며 드넓은 사막을 무릎으로 건너지 않아도 돼.

그저 너의 몸이라는 여린 동물이 사랑하는 걸 사랑하게 하면 돼……"

"……네가 누구든, 얼마나 외롭든."

그 여자가 시의 뒷부분을 거들었다.

"〈기러기〉 너무 좋죠?"

생긋 웃으며 그녀가 말했다. 차를 태워다 준 세련된 친

절에 순한 시 낭송으로 보답하는 일은 막상 해보니 무척 자
연스러운 흐름처럼 여겨졌다. 차 안의 공기는 메리 올리버
시 낭독의 전과 후로 완전히 달라져 있었다.

일기예보가 보기 좋게 빗나갔던 그 궂은 날씨의 겨울
날은 말하자면 그녀와의 연애가 시작된 첫날이었고, 이별
을 향해 걸어가기 시작한 첫날이기도 했다.

∞

그날 이후 두 사람은 어떻게든 시간을 마련해서 서로
를 보러 갔다. 상아—그것이 여자의 이름이었다—는 영미
권 소설을 번역하는 일과 간헐적으로 대학에서 시간강사
일을 하고 있었고 내과 개업의인 남편을 두고 있었다. 남편
과의 사이에는 아이가 없고 프리랜서라 상대적으로 시간
이 자유로웠다. 주로 상아가 동주에게 시간을 맞추어 차로
어디로든 데리러 와주었다. 두 사람은 인적이 드문 미술관
이나 박물관으로 전시를 보러 다니기도 했고, 시외의 한적
한 식물원이나 수목원을 거닐었다. 동주는 걸음의 속도를
상아에게 맞추는 법을 바로 터득했다. 식사나 차를 함께 하
며 나누는 그녀와의 대화는 지적이고 위트가 넘쳤다. 상아
가 장애를 가지면서 많은 일을 경험하거나 겪어낸 것도 영
향이 있었겠다고 동주는 가늠했다. 말을 하지 않을 때에도

호텔 이야기

골똘히 생각에 잠겨 있는 그녀의 표정을 보고 있으면 가슴이 두근거렸다. 상아는 집에 대해서나 남편에 대해서 일절 말을 꺼내지 않아 좋아하는 사람에게 배우자가 있다는 사실도 전혀 의식되지 않았다.

한편, 열 살 연상이라는 나이 차는 무척 불가사의했는데, 동주는 상아와 이야기를 나누고 있으면 자신이 실제보다 나이가 더 많고 지적인 사람이 된 것처럼 느끼기도 하면서, 때로는 그와 반대로 실제보다 훨씬 어리고 유치한 애송이처럼 느껴지기도 했다.

돈에 대해서는, 상아가 두 사람이 먹고 보고 쓰는 모든 비용을 조용히 처리했다. 제아무리 동주가 서둘러보아도 동주는 늘 한발 뒤늦어 있었다.

"왜 혼자만 내는 거예요. 저도 아르바이트로 돈 벌잖아요."

"학생이잖아. 그리고 나 부자야."

상아가 피식 싱겁게 웃었다.

"번역가가 그렇게 돈 많이 버는 직업이에요?"

"그건 아니지만."

두 사람이 공통으로 좋아하는 감독의 신작이 개봉한 날, 그들은 영화를 함께 보러 갔고 그곳에서 처음 손을 맞

잡았다. 동주는 상아의 아기 같은 보들보들한 손바닥 감촉을 느꼈다. 영화의 흐름에 집중하기가 무척 어려웠다.

"왜 그래…… 힘들어?"

상아가 동주의 귓가에 속삭이는 목소리엔 일말의 짓궂음이 배어 있었다.

"아니라고 하면 거짓말이죠."

상아의 귓가에 대고 속삭이면서 동주는 귓불을 깨물어주고 싶을 만큼 그녀가 미웠다. 마치 다 안다는 듯이 상아는 빙긋 웃으면서도 손 외에 다른 곳은 내어주지 않았다. 그리고 일주일 후, 두 사람은 상아의 차 안에서 처음 입술을 맞추었다. 동주가 사는 원룸 건물 앞에서였다.

"……같이 들어가요."

간절한 눈빛을 담아 동주가 애원했지만 상아는 동주의 두 뺨을 어루만지면서 고개를 저었다.

"너는 나로부터 도망가야 해."

"그게 대체 무슨 말이에요."

"나로부터 너를 지켜야 한다는 뜻이야."

진담으로도, 장난처럼도 들리는 그 말에 동주는 몸의 힘이 쫙 빠지는 것을 느꼈다.

"네가 싫어서 그런 건 아니라는 거, 이해하지?"

더없이 애틋한 목소리로 덧붙이면서 상아는 동주의 풀린 셔츠 단추를 다시 단정하게 잠갔다.

호텔 이야기

상아의 차분한 지성과 우아함이 말과 행동에 기본적으로 배어 있었지만 동주와의 만남을 거듭해갈수록 은연중에 다른 모습들이 튀어나오기도 했다.

예로 충동적 비난.

상아는 곧잘 자신은 주변 사람들에게 늘 이용만 당해왔다며 분해했다. 그 쓸쓸함은 사람들에 대한 공격으로 풀었는데 가까운 예로 딱히 미술에 관심도 없으면서 낮에 미술관 순례를 다니는 여자들이나 뭣도 모르는 어린아이들을 데려와 조기 미술 교육을 시키는 엄마들을 '아무 생각이 없다'며 경멸했다.

'그 사람들이 생각이 없는 것일 수도 있지만 당신이 너무 생각이 많은 걸지도 몰라요.'

동주는 속으로 이런 마음이 들기도 했지만, 상아가 뭔가에 꽂혀서 악에 받친 듯 그런 비난들을 쏟아낼 때마다 한 귀로 흘려들었다. 그러고는 그녀의 등을 쓸어내리면서 격앙된 감정을 추슬러주었다.

혹은 고약한 직설.

"네가 아무리 나이에 비해 어른스러워 보여도 때때로

비치는 치기 어림이나 젊음의 무지는 어쩔 수가 없구나.”

상아는 눈 깜짝 안 하고 이런 말을 동주에게 해버렸다.

“제가 시시하다는 말인가요?”

“시시하다고는 하지 않았어. 그냥 어떨 땐…… 젊은 애들은 젊은 것 말고는 아무것도 가진 게 없는데 너무 당당해서 오만해 보여.”

“그러면 당신은 그냥 젊은 남자를 원했던 거네요.”

“안 자는데도?”

상아가 실눈을 뜨며 대꾸했다.

“사실 그렇죠. 그냥 심심해서 가지고 노는 새 장난감. 모든 걸 가지고도 성에 차지 않아 나까지 원하는 거겠죠.”

“모든 걸 가지지 않았어.”

상아는 어릴 적 소아마비로 장애를 얻게 된 자신의 오른 다리를 가리키며 말했다.

“혹시 그런 식으로 연민을 불러일으켜 남자들과 연애를 해왔던 건 아니고요?”

동주는 오기가 생겼다.

“시시한 소리 좀 하지 마.”

상아가 어이없다는 듯이 실소를 머금자 동주의 얼굴에 붉으락푸르락 열꽃이 피었다.

“넌 모르지? 난 너의 시시함의 증거를 찾아 모아 정을 떼보려고 하는데, 시시하면 할수록 내 마음이 약해지기만

호텔 이야기

하는 거."

동주는 상아의 직설에 상처를 따끔따끔 받아가면서도 갑자기 이런 식으로 나오면 속수무책으로 항복하는 수밖에 없었다. 실망스러운 직설도 그녀가 마음을 열었다는 증거일 수 있으니.

그리고 가령 짜증 섞인 투정.

"집에 들어가기 싫어."

상아는 땅이 꺼질 것처럼 그르렁거리며 깊은 한숨을 내쉬었다.

"10대처럼 그게 무슨 말이에요?"

"남편이 있는 집에 들어가기 싫다는 말이야."

그동안은 마치 '가정'은 존재하지 않는 것처럼 행동해왔던 상아가 먼저 남편을 거론하는 걸 그날 동주는 처음 보았다. 쓸데없는 얘기를 꺼냈다는 후회가 잠시 스쳤다가 진짜 뜻은 너와 함께 계속 있고 싶단 말이야, 같은 부드러운 눈빛이 되었다. 하지만 충분히 털어내지 못한 것처럼 이내 다시 표정을 일그러뜨리며 자신이 견디지 못하는 것들을 구체적으로 기술했다.

남편의 얼굴을 보는 것도, 그의 입에 들어갈 저녁 메뉴를 고민해야 하는 것도 괴롭고, 그 남자의 생리적인 모든 행위―먹고 자고, 트림하고 코를 골고, 화장실에서 크고 작은 분비물을 만들어내는 일―를 일상의 풍경으로 받아들여야 하는 게 지긋지긋하다고 하소연했다.

폭주하는 상아를 보면서 동주는 그렇게 같이 살기 싫으면 헤어지면 되지 않나, 이미 많은 부분에서 강하고 독립적으로 살고 있지 않은가 하고 어리둥절해했다.

"넌 아마 이해하지 못할 거야……."

상아는 답답하다는 표정을 지으며 동주의 입을 막아버렸다. '넌 몰라'라는 그 말에 동주는 한없이 작아지는 기분이 들었다. 굳은 얼굴로 입을 꾹 다물고 있으니 이번에는 입을 열라고 채근했다.

"무슨 말이라도 해봐…… 왜 아무 말도 안 해…… 너는 가끔…… 무슨 생각을 하는지 표정을 봐도 전혀 알 수가 없어"

상아는 명백히 자신의 짜증을 동주한테 퍼붓고 있었다. 하지만 동주는 단념하고 그것에 예민하게 반응하지 않기로 했다. 가끔씩은 그녀도 거칠어지고 싶을 때가 있는 것이다. 혹은 도저히 깔끔하게 번역되지 않는 문장 때문에 몇 날 며칠을 괴로워했을지도 모른다. 동주가 상황을 받아들이려고 몰래 심호흡을 하고 있는데 상아가 씁쓸하게 웃으면서 혼잣말처럼 중얼거렸다.

"그래도 진료 시간만큼은 꼼짝없이 자리를 지키고 앉아 있는 남편이…… 예측 가능해서 고맙긴 하지?"

호텔 이야기

그럴 때 보면 전혀 딴사람 같았다.

누군가를 좋아한다는 것이 그 사람을 이해하고자 하는 의지와 같은 거라고 한다면 동주는 그녀를 조금이라도 더 이해해보고 싶었다. 침착하고 초연하고 자기통제가 강한 평소의 상아를 그토록 미치게 만드는 것의 정체는 대체 무엇일까. 동주도 그에 대한 자신의 막연함이 고통스러웠다.

그래서 하루는 상아에게는 비밀로 한 채, 상아에게 그토록 큰 고통을 안겨주는 시끄럽고, 무신경하고, 불결한 그 남편을 보러 내과에 찾아갔다. 떨리지 않았다면 거짓말이었겠지만 막상 차례가 되어 진료실로 들어갔을 때 눈앞에 앉아 있는 의사 선생님은…… 상아의 쌍생아 오빠가 아닐까 싶을 정도로 풍기는 분위기가 비슷했다. 차분한 성숙함과 여유가 배인 세련됨, 더 나아가 흰색 의사 가운이 주는 권위와 신뢰감이 더해져 동주는 잠시 자신이 여기에서 지금 무슨 짓을 하고 있나 아득해졌다. 무슨 일로 왔냐는 질문에 그만 본심을 털어놓을 뻔했다.

"목감기 기운이 조금 있는 것 같아서요."

동주는 의사를 똑바로 쳐다보지 못하고 존재하지 않는 증상을 호소했다. 의사는 청진기를 웃통에 대보고 스테인리스 막대로 목 안을 살피더니 엷게 미소를 지었다.

"그리 나쁘지 않은데요? 젊으시니까 푹 쉬면서 잘 챙

겨 드시면 괜찮을 거예요."

신경이 꼿꼿하게 곤두선 상태로 간 거라 세상 진부한 의사의 멘트가 너무나도 자상하게 들렸다. 그래도 혹시나 증상이 심해지면, 이라며 의사는 3일 치 약을 처방해주었다.

건물 1층의 약국 약사는 묻지도 않았는데 괜한 말을 보탰다.

"여기 의사 선생님은요, 약을 최소한으로 신중하게 처방하는 분이세요."

평소 가던 동네 내과에선 이런저런 약을 형형색색으로 처방하고, 크기도 커서 삼키기도 어렵고, 바로 졸음이 쏟아질 정도로 독했는데 과연 상아의 남편이 처방해준 약은 아기 손톱만 한 베이지색과 흰색 알약 두 개가 다였다.

⋈

그러는 가운데 상아가 먼저 한 살 더 어른이 되었다. 상아의 서른일곱 번째 생일날 오후, 두 사람은 한옥 양식당에서 점심 식사를 같이하고 그 옆의 시립 미술관으로 전시를 보러 갔다.

암막 커튼으로 가려진 어둑어둑한 전시실 안에서는 앤디 워홀의 영상물 〈수면〉이 상영되고 있었다. 친구 존 지오르노가 자는 모습을 5시간 21분 동안 찍은 작품으로 흑

호텔 이야기

백의 몽환적인 이미지가 천천히 화면 안에서 유영하고 있었다.

전시실 안에 놓인 기다란 벤치 의자에 나란히 앉아 작품을 감상하고 있는데 상아가 불쑥 혼잣말을 토해냈다.

"점점 젊음에서 먼 곳으로 가고 있다는 생각이 들어."

"가긴 어디를 가요. 나랑 같이 있어야지."

농담은 통하지 않았다.

"속이 노인처럼 늙어버린 것 같아. 겉으로만 아닌 척구는 내가 지긋지긋해."

"또 말도 안 되는 소리. 대체 왜 그래요, 좋은 날에."

동주는 안쓰러워하는 표정으로 나무라다가 다른 관람객이 아무도 없는 걸 확인하곤 자신의 어깨에 머리를 기댄 상아의 정수리에 지그시 입을 맞추었다. 상아는 그 자세 그대로 동주의 손을 끌어와 자신의 심장이 뛰는 곳에 갖다 댔다.

"이 안의 엔진 같은 것이 마모되고 낡아가는 느낌이야."

"기분 탓이에요. 생일이니까 괜히 감상적이 되어서 그런 거예요."

상아가 갑자기 몸을 휙 돌려 동주를 와락 안았다. 그녀가 먼저 그러는 것은 처음 있는 일이었다.

"살아가는 일이 숨 막히고 답답해서…… 견딜 수가 없

어······."

거의 울먹임에 가까운 목소리를 들으며 가슴이 미어진 동주는 더 이상 쓸데없는 말을 하지 못하게끔 입술로 그녀의 입을 봉인하고픈 충동을 느꼈다. 하지만 그 순간 외딴섬 같았던 전시실 안으로 오후의 첫 번째 도슨트 투어 그룹이 암막 커튼을 여는 소리가 나서 동주는 하려던 행동을 포기하고 상아의 손을 잡고 그곳을 빠져나갔다.

맑고 차디찬 공기를 쐬며 머릿속이 상쾌하고 맑아지길 기대했지만, 미술관 정원을 거니는 동안에도 상아의 찌푸린 표정은 풀릴 줄을 몰랐다. 생일은 분명 좋은 날이어야 할 텐데, 도리어 근본적인 원인을 알 수 없어 동주야말로 숨이 막히고 답답해서 견딜 수가 없었다. 어쩌면 그래서 불쑥 그런 말을 꺼냈던 것일까.

"우리가 만약 같이 도망을 가버린다면 어디로 갈 수 있을까요?"

엉겁결에 내뱉고 나서야 낯이 뜨거워졌다. '같이 도망가버리자'라고 리드한 것도 아니고 '어디로 도망가자'라고 구체적인 계획을 제시한 것도 아니었다. 고작 좋아하는 여자에게 한다는 말이 '만약 같이 도망간다면'(가정법) '어디로 도망갈 수 있을까요'(떠넘기기 질문)라니. 진심으로 궁금해서 나온 말이었지만, 막상 입 밖으로 나오니 아무리 너

호텔 이야기

그렇게 해석하려고 해도 간보면서 책임을 떠넘기는 한심한 소리였다. 그러나 힐난은커녕 바로 직전까지 꺼져 있던 상아의 눈빛에 묘한 생기가 감돌기 시작했다. 그녀는 진지하게 그 문제에 대해 궁리하고 있었던 것이다. 머릿속에서 대체 무슨 상상의 나래를 펼쳤는지는 몰라도 상아는 아기 고양이처럼 눈을 반짝이며 말했다.

"남편이 쫓아오면 어떡하지. 우리 둘 다 분명 살해당할 거야."

동주는 사려 깊은 미소의 의사 선생님이 쫓아와서 독극물 주사로 상아와 자신을 찌르는 장면을 떠올려보려고 애썼지만 잘 상상되지 않았다. 그보다는 진짜 먼 곳으로 함께 도망을 가버린다면…… 아마도 그곳에선 두 사람 다 더 이상 지금처럼은 참지 못하리라는 것만은 예감했다. 서로를 바라보는 눈 밑 아래가 거무스름해지면서 두 사람은 굳이 서로에게 말하지 않아도 그냥 알 수 있었다.

◎

온전히 우리가 우리 자신이 될 수 있는 먼 나라로 도망가고 싶다고 했지만 상아가 비행기표를 끊은 행선지는 겨우 제주도였다. 겨우, 라는 단어는 어쩌면 공정하지 않을지도 모른다. 동주는 제주도가 처음이었으니까.

둘은 공항에서부터 계속 일정 거리를 두고 탑승장으로 이동했다. 서로를 스치는 시선에는 긴장과 흥분이 뒤섞여 있었다. 같은 비밀을 공유하고, 더 큰 비밀을 만들러 떠나는 것만으로도 심장이 터질 것만 같았으니까. 한번 도망가면 그다음은 어떻게 되는가, 에 대해서는 아직 이야기도 나누지 못했다. 일단 가버리는 것, 그것만으로도 이미 넘치게 벅찼다.

자리도 따로 떨어져 앉아야 한다며 상아가 먼저 비즈니스석으로 입장하고 동주는 긴 줄을 기다린 후 일반석으로 들어가 몸집이 큰 중년 남자 둘 사이에 비좁게 끼어서 갔다. 상아가 제주공항에 내려서도 최대한 거리를 두어야 한다고 사전에 언질을 두었건만 먼저 게이트로 나와 서 있는 상아를 발견하고서 동주는 그만 약속을 잊고 그녀에게로 달려갔다. 그런 동주를 보며 식겁한 상아는 절룩거리는 걸음으로 공항 밖으로 나가 서둘러 렌터카 대여소로 향했다. 동주는 겁에 질려 허둥지둥하는 상아의 뒷모습을 바라보며 마음이 복잡해졌다.

문자메시지에 일러준 대로, 동주는 제주공항 렌터카 대여소 앞에 서 있었고, 은색 세단 차량이 그 앞에 섰다.
"어? 같은 차네요."

호텔 이야기

"그편이 운전하기 편하니까."

동주는 차에 올라탈 때부터 상아의 표정이 미세하게 지쳐 있는 것을 눈치챘다.

"……혹시 그사이에 무슨 일 있었어요?"

"아니."

숙소로 이동하는 렌터카 안에서 동주는 한발 이르게 초봄의 내음을 풍기는 제주의 풍경을 내다보았다. 곧 상아와 함께하는 두 번째 계절을 맞이할 참이었다. 동주는 이곳에 오기 전, 사랑의 도피 행각 이야기가 들어간 영화들을 검색해서 보았다.

금단의 사랑을 하는 연인들이 도망치는 곳은 대개 '세상의 끝'과도 같은 적막하고 황량한 장소였다. 어느 고립된 바다 마을의 문패도 없는 민박집이나 엘리베이터도 없는 낡은 아파트의 맨 꼭대기 층 아파트 같은. 연인들은 그곳에 숨어 부실한 식사로 허기를 때우고 매번 마지막인 것처럼 밤낮으로 서로의 몸을 탐하다가 이런저런 경위를 거치며 종국에는 파국을 맞이했다. 가장 흔한 파국은 한 사람의 죽음이었다.

그 비통한 엔딩을 떠올리던 중, 두 사람이 머물게 될 숙소에 도착했다. 눈앞에 펼쳐진 독채형 풀 빌라는 영화에서 보았던 절박하고 험난한 분위기와는 전혀 달랐다. 그렇다고 불평하는 것은 아니었지만.

상아는 비밀번호로 도어록을 풀고 들어가자마자 신발을 벗고 방 두 개와 화장실을 촘촘히 둘러본 후에야 동주가 짐 두 개를 들고 어색하게 서 있던 거실 겸 다이닝룸으로 건너왔다. 동주는 기다렸다는 듯이 상아를 품에 꽉 끌어안았다.

"마침내 우리 둘뿐이네요."

동주는 상아에게 입을 맞추며 그녀의 코트를 벗기고 소파 위로 상아의 몸을 끌어당겨 눕혔다. 동주가 상아의 보라색 스웨터와 그 아래 블라우스를 턱밑까지 단번에 젖혀 올린 후 가슴을 애무했다. 상아가 두 눈을 질끈 감았다. 그동안 참아낸 숱하게 아슬아슬했던 순간들이 플래시백처럼 떠오르자 동주는 호흡이 더 가빠지며 이번엔 손을 상아의 트위드 스커트 속으로 집어넣었다. 상아가 얼굴을 찡그리며 짧게 '앗' 하고 외쳤다.

"왜 그래요?"

동주가 벌게진 얼굴을 들어 상아의 안색을 살폈다.

"몰라, 좀 아파서. 잠시만."

동주의 몸 아래 깔려 있던 상아가 빠져나와 절뚝거리며 화장실로 걸어갔다. 남겨진 동주는 소파에 바로 누워 두 눈을 감고 호흡을 골랐다. 한껏 부풀어 오른 바지춤이 아팠다. 답답함이 가슴을 짓누르는 사이, 화장실에서 나온 상아

호텔 이야기

가 어느새 소파 옆에 서서 복잡한 표정으로 동주를 내려다 보았다.

"나 몸이 지금 좀 안 좋네. 원래 그때가 아닌데……"

그 말에 놀란 동주가 상체를 일으켰다. 이럴 때 무슨 말을 해야 할지, 아니 어떻게 해야 할지 도무지 알 수 없었다. 물론 그럼에도 불구하고 자신이 무엇을 하고 싶은지는 몸이 명백하게 알려주었지만 그것을…… 먼저 요구할 수는 없었다. 그녀가 아픈 건 원치 않았다. 소파에 나란히 앉아 한참을 말없이 앉아 있었다.

"그럼…… 우리 어디라도 다녀올까요?"

이 상태로 안에만 계속 있으면 더 힘들 것 같았다. 애써 먼저 꺼낸 동주의 그 말에 상아가 배시시 힘없이 웃었다.

"가긴 어딜 가……"

물론 여기저기 관광을 다닐 거라고 생각하진 않았다. 하지만 그래도…….

"아는 사람 만나면 어떡해."

동주가 보기에 상아는 서울에서도 아는 사람이 많지 않았다. 그 생각을 읽기라도 하듯 상아가 덧붙였다.

"넌 몰라. 난 걷는 게 남들과 다르잖아. 게다가 서울에선 대충 출판사 편집자라거나 가르치는 학생이라고 둘러대면 되지만 여기선 너를 뭐라고 설명하니."

과연 그녀의 말이 틀리진 않아서 동주는 가만히 있었다.

"쯧, 내친김에 멀리 나갔어야 했는데……"

상아는 동주를 힐끗 보며 혼잣말하듯 말끝을 흐렸다. 동주가 부랴부랴 여권을 만들 수도 있었지만, 그걸 기다리다가는 영원히 도망을 가지 못할 거라는 조바심에 두 사람 다 사로잡혀 있었으니 어쩔 수가 없었다.

둘은 결국 한 시간 후 외출했다. 상아의 복통 증상이 점차 심해졌는데 비상약이 없었기 때문이다. 근처 편의점에 진통제쯤은 있을 거라 기대했지만 구비되어 있지 않아 다시 거꾸로 공항 인근 제주 구시가지 약국까지 운전해서 가야만 했다. 내내 괴로운 표정으로 운전대를 잡고 있던 상아는 진통제를 사서 돌아오자마자 방 침대에 드러누웠다. 동주는 그 옆에서 조심조심 상아의 아랫배를 어루만지면서 밤을 보냈다.

다음 날 아침, 상아는 어제보다 한결 컨디션이 나아 보였다.

"오늘은 구경 좀 나가볼까?"

목소리도 낭랑했다. 상아는 진통제를 입 안에 털어 넣고 렌터카의 키를 잡았다. 입장료가 무척 비싸서 단체 관광객이 몰려오지 않는 미술관과 현지 제주도민들이 주로 찾는다는 한적한 숲 산책길에 들렀다. 해산물 식당에 들러 늦은 점심도 먹었다. 동주는 제주도가 처음이라 모든 게 신기

호텔 이야기

하고 즐거웠지만 너무 티를 내면 오히려 부담을 주지 않을 까 싶었다. 공항에서처럼 거리를 두고 걷진 않았지만 여전히 누가 알아볼 것을 두려워해서인지 상아는 꽤 자주 습관적으로 걸음걸이가 빨라지곤 했다. 늦은 오후가 되어 상아의 기력이 떨어지면서 숙소로 돌아가는 차 안은 피로감이 야기한 무거운 침묵으로 짓눌려 있었다.

"넌 여태 그 나이 되도록 운전면허 하나 안 따고 뭐 했니……?"

상아가 의도했던바, 동주는 가시에 깊이 찔렸다. 그녀는 누군가를 비난할 때 낭비 없이 가장 아픈 지점을 찌를 줄 아는 사람이었다. 그들은 처음 여행을 계획했을 때 의도했던 대로 '두 사람만의 외딴섬'에 머무르고 있었다.

그날 밤 코를 가늘게 골면서 곤히 자는 상아 옆에서 잠 못 이루고 뒤척이던 동주는 이 도피행에 결여되어 있던 한 가지가 무엇인지를 알아냈다. 사랑의 도피 행각을 '완성' 시켜주는 것은 바로 그들을 추적해 오는 사람의 존재였다. 도망은 실패해야 비로소 완성이 될 수 있었던 것이다. 그러나 단둘이 보낸 지 이틀째가 되어가는데도, 두 사람을 쫓아와 독극물 주사를 찔러야 마땅한 그분은 흔적조차 느껴지지 않았다. 상아는 남편이 추적해서 찾아오거나 전화 연락을 못 하도록 전화기를 꺼놓을 거라고 호언장담하며 실제로도 꺼놓았지만, 동주는 그녀가 수시로 중간중간 휴대폰을 켜 메시지를 확인해본다는 것을 알고 있었다.

상아는 그날 저녁 숙소로 돌아와 저녁 식사 준비를 하면서 동주가 식사 준비조차 빠릿빠릿하게 돕지 못한다고 갑자기 성을 내며 와락 눈물을 흘렸다. 당황한 동주는 내가 어떻게 하면 되겠냐고, 무조건 잘못했다고 애원했지만 상아는 그걸 알려줘야 하는 것부터가 넌덜머리가 난다고 했다. 무력감에 휩싸여 얼어붙어 있던 동주를 보고 상아는 '아냐, 너 때문이 아니야'라며 입장을 도중에 바꿨지만, 이미 이 '도망'은 처참한 실패로 끝났다는 것을 각성시켜줄 뿐이었다. 다음 날 상아는 서울행 비행기표를 끊었다.

김포공항에서 눈인사를 나누고 헤어진 이래 상아로부터는 아무런 연락도 없었다. 미처 하지 못한 말들이 쌓여 있었지만 그게 이제 와서 무슨 소용이 있을까. 동주는 연락하고 싶을 때마다 안으로 꾹 참고 삼키는 법을 터득해나갔다. 기약 없이 떠난 여정이었으므로 잘 다니던 미술관 아르바이트를 그만둔 상태였고 갑자기 시간이 남아돌았다. 동주는 뭐에 씐 것처럼 언제 쓸지도 모르는 여권을 일단 만들고 집에서 가장 가까운 운전면허 학원에 등록했다. 그러고는 뭔가에 쫓기듯이 최단기간 내에 운전면허를 따고 18만 킬로미터를 달린 중고차를 헐값에 사서 시간이 날 때마다 운

호텔 이야기

전연습을 했다. 잠이 쉬이 오지 않는 날에는 한밤중에 나가 양쪽 차창을 모두 내리고 직성이 풀릴 때까지 운전을 하고 돌아왔다. 운전 실력은 금세 부쩍 늘었다. 얼마 뒤, 뜻하지 않게 그 실력을 필요로 하는 아르바이트 일자리가 나타났다. 친구의 형이 그라프 호텔의 도어맨 일을 소개한 것이다.

"일은 별거 없어. 그냥 들어오는 차들 문만 열어주다가, 가끔 발렛파킹이나 해주면 돼."

중간에서 소개해준 친구는 그렇게 설명했지만 그라프 호텔의 도어맨 일이 그리 호락하락한 건 아니었다. 오래전부터 전해져 내려오는 매뉴얼 파일 안에는 호텔을 자주 이용하는 VIP 손님들의 이름과 차량 번호가 빼곡히 기록되어 있었다. VIP에 따라, 이름을 불러도 되는 사람, 부르면 안 되는 사람, 말을 걸어도 되는 사람과 안 되는 사람 등으로 나뉘었고, 신문이나 잡지에 실린 그들의 사진도 그 옆에 스크랩되어 있었다. 길 안내를 해야 하는 경우도 많아 인근의 주요 회사 소재지나 빌딩 이름 등도 다 꿰고 있어야 했다. 그래도 하루에 500대 넘게 차량이 오가던 예전에 비하면 요즘은 한가한 편이라고 했다.

동주는 하루 3교대 시스템 중 먼저 나서서 동료들이 기피하는 야간 근무를 자원했다.

"다들 기피하는 새벽 시간을 고르다니 역시 젊음이 좋

네. 밤 시간이라 일이 별로 없을 거라고 기대들 하는데 밤낮 바뀌면 한 달이면 몸이 훅 가. 그러니 몸 잘 챙기고…… 그런데 석 달 후면 호텔 문 닫는 건 알고 들어온 거지?"

바로 전까지 야간 근무를 맡았던 선배의 말에 동주는 고개를 끄덕였다. 야간 근무는 수당을 더 쳐주기도 했고 밤에 집에서 혼자 괜한 상념에 젖는 걸 피하고 싶기도 했다. 그렇다 해도 근무 초반에는 조금 괴로웠다. 은색 세단이 호텔 정문으로 원을 그리며 미끄러져 들어올 때마다 가슴이 철렁했다. 은색 세단은 한국에 지나치게 많았다. 그 차가 눈앞에서 사라진 다음에도 한동안 심장이 쿵쾅거렸다. 동주에게도 얼마간의 시간이 필요했다.

야간 근무라고 상념을 피할 수 있는 것도 아니었다. 깊은 밤, 호텔 반대편의 울창한 숲에서 불어오는 바람을 맞으며 가만히 서 있노라면 고요 속에 모든 감각이 예민해졌다. 풀벌레 소리를 들으며 눈앞의 단풍나무와 은행나무들이 바람결에 일렁이는 모습을 바라보노라면 눈물이 절로 차올랐다. 동주는 조용히 눈을 감고 숨을 깊이 들이마신 후 마음 저 깊은 곳에서 메리 올리버의 〈천 개의 아침〉을 되새겼다.

밤새 내 마음 불확실의 거친 땅 아무리 돌아다녀도,

밤이 아침을 만나 무릎 꿇으면,

빛은 깊어지고 바람은 누그러져 기다림의 자세가 되고,

나 또한 홍관조의 노래 기다리지

밤을 견디고 아침이 되어도 그리움은 누그러지지 않을 때가 많았다. 이제는 정말로 기억에서 떠나보내야만 하는데. 가파르게 차올랐다가 물거품처럼 빠져나간 한여름 밤의 꿈. 감당할 수 없는 것을 드디어 내려놓게 된 해방감과 동시에 무력감이 스민 슬픔이 오래도록 맴돌았다. 여전히 사로잡혀 있다는 것은 그런 마음이었다.

◑

"그 후에 그 여자분이 연락하거나 찾아온 적은 없었나요?"

이야기를 잠시 멈추고 소주 한 잔을 새로 따라 마시는 동주에게 내가 물었다.

"네, 한 석 달 정도는요. 그래서 완전히 끝났다고 생각했는데…… 보름 전쯤 호텔로 찾아왔어요."

동주는 아래로 시선을 내리며 짧은 한숨을 내쉬었다.

"그런 장난감 병정 같은 옷을 입고 창피하지 않아?"

들어오는 차도 나가는 손님도 거의 보이지 않는 자정 무렵, 귓가에 수없이 감돌던 그녀의 목소리가 들리자 동주는 순간 다리 힘이 풀렸다.

동주는 아주 천천히, 행여 흔적조차 사라질세라 조심스럽게 고개를 돌렸다. 상아는 호텔 건너편 위쪽의 벚나무 숲을 보고 있었다. 그녀의 옆모습은 처음 미술관에서 보았던 모습 그대로였다. 복숭아처럼 발그레한 뺨, 오뚝한 콧날, 다부진 이마. 동주는 겨우 정신을 차리고 호텔 안 벨 데스크 쪽을 살폈지만 다른 부서 직원들 중 바깥에 신경을 쓰는 사람은 아무도 없었다.

"잘 지냈어?"

잠시 머뭇대다가 정직하게 대답했다.

"……아뇨, 잘 못 지냈어요."

상아는 만족스럽게 미소를 짓더니 가방에서 담배를 꺼내 입에 물고선 가방 안을 다시 뒤적였다.

"혹시…… 불 있니? 깜빡 놓고 왔네?"

상아가 담배를 피운다는 사실은 모르고 있었다. 동주는 담배를 피우지 않았지만 도어맨들은 가끔 이런 경우를

호텔 이야기

대비해 늘 예비 라이터를 호주머니에 지니고 있었다. 동주는 담배에 불을 붙여주면서 용기를 내어 그립고 미웠던 그 얼굴을 내려다보았다. 자세히 보니 한참을 울다 온 것처럼 눈이 퉁퉁 부어 있었다.

그녀는 담배를 한 모금 깊고 맛있게 빨더니 동주를 바라보며 활짝 웃었다.

"이젠 밤바람이 제법 시원해졌네."

상아는 다시 숲을 보면서 한 모금을 더 빨고 길게 연기를 내뱉었다.

"그런데 호텔 앞이 바로 숲이라 불이라도 나면 큰일 나겠다."

속 편한 이야기만 꺼내는 상아 옆에서 동주는 점점 더 가슴이 미어져갔다.

"이렇게 불쑥 찾아오면 대체 어떻게 하란 말이에요. 아무런 마음의 준비도 되지 않았는데, 겨우 잊어가는 중이었는데…… 이렇게 갑자기 나타나면 정말 나보고 어쩌라는 거예요……"

상아는 아무런 대꾸 없이 조용히 담뱃불을 껐다.

"저보다 어른이잖아요…… 그 정도는 참을 줄도 알아야죠. 저도 이렇게 열심히 참고 있는데……"

"이게 나이 먹은 것과 무슨 상관이야"

상아는 목이 메는 목소리를 겨우 짜내면서 코웃음을

쳤다.

"복에 겨워 그런 거잖아요."

꿈쩍하지 않던 상아의 얼굴에서 미소가 싹 사라졌다.
동주는 그런 야멸찬 말을 꺼낸 것은 자신의 진심이 아니었
다고, 미안하다고 말하려고 했으나 그 말은 끝내 나오지 못
했다. 한여름의 열대야도 마침내 끝났으니 모두의 수면이
평온해지기를 바랐고 이제는 꿈에서 깨어나야 할 시간이
었으니까.

◍

"택시를 잡아달라고 해서 잡아주었어요. 우리 둘 다
그것이 마지막이라는 것을 알았어요. 실제로도 그랬고요.
도어맨 매뉴얼대로 차가 사라질 때까지 90도 절을 했어
요. 참, 그분이 택시를 타면서 제 손에 만 원짜리 지폐 한
장을 쥐여주었어요. 대체 무슨 생각이었던 걸까요?"

동주가 보름 전 밤의 일을 더듬어가며 앙칼진 목소리
로 물었다.

"그야 평소 습관이 나와버린 거겠죠."

나의 적당한 대꾸에 동주는 서글픈 눈빛으로 피식 웃
음을 지었다.

"그러고는 정확히 30분 후, 호텔에서 화재 경보가 울

호텔 이야기

렸어요. 대피령이 났고, 웅성웅성 소리가 들리더니 투숙한 손님들이 잠옷 위에 호텔 목욕 가운만 걸치고 귀중품만 챙겨 호텔 밖으로 우르르 쏟아져 나왔어요. 마음을 추스를 겨를도 없이 비상 상황이 벌어져 깜짝 놀랐어요. 다행히 야간 당직 매니저님이 손님들을 침착하고 능숙하게 인솔해서 큰 소요는 없었어요. 투숙객들이 오히려 계속 죄송해하는 매니저님을 달래주었어요. 이곳은 참 많이 사랑받아온, 좋은 호텔이구나 그때 실감했죠. 그때 처음으로 그라프 호텔이 문을 닫는 게 아쉽다고 생각했어요. 네……? 네, 작가님. 짐작하시는 그게 맞아요. 화재 경보가 어디서 울렸는지 나중에 알아보니 가명으로 예약하고 현금으로 숙박료를 계산한 한 여성이 묵은 꼭대기 층 맨 끝 방에서 불이 났었다고 하더군요. 다행히 화장실이어서 불씨는 금세 진압되었다고 해요……"

나는 사건을 복기하는 동주의 얼굴을 유심히 쳐다보고 있었다. 겨우 소주 두 잔에 발그레해진 그의 얼굴에는 묘한 생기가 돌고 있었다.

"뭐가 그렇게 흐뭇해요?"

나는 그에게 짓궂게 물었다.

"솔직히…… 그녀가 범인이었다는 것을 알고 기뻤어요. 적어도 우리가 서로를 좋아했던 시간이, 제주에 가서 보냈던 비루한 시간들이 부정당하지 않은 기분이었어요.

누가 뭐래도 우린 서로에게 진심이었구나, 같은. 남들이 들으면 어이가 없겠지만……"

"지극한 사랑은 뜻밖의 방법으로 표현되기도 하니까요."

물론 맨정신인 사람들은 그렇게 바라보지 않겠지만. 동주는 이해받음에 감사히 안도하며 자세를 고쳐 앉아 또 내게 질문을 던졌다.

"작가님, 저희는 진심으로 서로를 좋아했던 걸까요, 아니면 그저 부도덕한 행동을 저지른 것에 불과했던 걸까요?"

"작가는 그런 판단 안 해요. 아니, 못 하죠."

상대가 듣고 싶어 하는 말을 해주는 것은 기만이라고 생각했다.

동주는 멍하니 천장을 올려다보면서 깊이 숨을 들이마셨다. 잠시 정적이 흘렀다.

"제가 정작 작가로서 궁금한 건 이거예요. 무작정 제주로 함께 떠났을 때 동주 씨는 두 사람 사이에 미래가 있을 거라고 생각했나요? 진심으로?"

동주는 한 치의 망설임도 없이 고개를 끄덕였다.

"네. 생각했어요. 진심으로 그랬어요. 미친 소리라는 건 알지만 결혼까지도 상상했어요. 마지막 선을 넘지 않고도 그렇게 좋아했는데 어떻게 그 생각을 안 할 수가 있었겠

호텔 이야기

어요."

그의 마지막 문장은 울먹임에 가까웠다.

◎

이제 와서 돌이켜보면 마지막에 괜한 질문을 한 게 아닐까 싶기도 하다. 상대방의 긴장을 풀어주기 위해 술을 시켜놓고서 정작 그 술의 대부분을 내가 마셨으니 무리도 아니었다. 그날은 귀가해서도 소설을 한 줄도 쓰지 못했다.

다시 동주를 만날 일이 있었더라면 사과를 했겠지만, 그를 다시 보지는 못했다. 하지만, 동주와 조우했던 그해 초가을 날의 밤과 아침을 기억할 때마다 나는 메리 올리버의 〈블랙워터 숲에서〉 시구를 잊지 않고 떠올렸다.

강 건너편에는 우리가 영원히 그 의미를 알지 못할 구원이 있지.
이 세상에서 살아가려면 세 가지를 할 수 있어야만 하지.
유한한 생명을 사랑하기.
자신의 삶이 그것에 달려 있음을 알고 그걸 끌어안기,
그리고 놓아줄 때가 되면 놓아주기

부디 모두의 수면이 그 후 평온해졌기를 진심으로 바랐다.

<終>

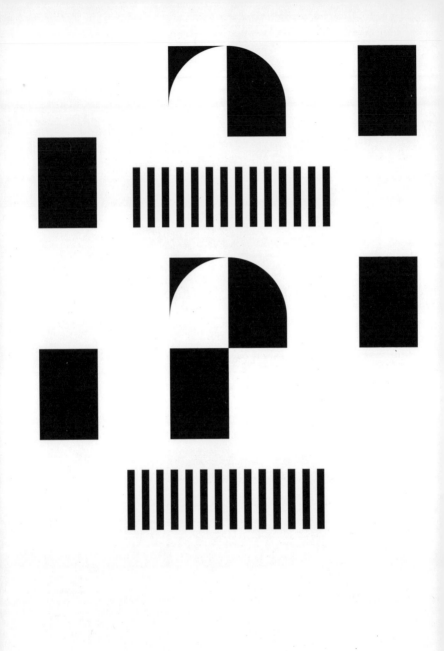

초대받지 못한 사람

러닝머신의 속도를 8로 맞춰놓고 온 힘을 다해 달리고 있을 때, 그 전화가 걸려 왔다. 상우는 속도를 5로 내리고 걷기 상태를 유지하면서 거칠게 전화기 폴더를 열었다.

"너 지금 뭐 하냐?"

영일 선배였다. 소란한 대화 소리가 배경으로 들렸다.

"운동했어요."

상우는 러닝머신의 속도를 3으로 내리며 손잡이에 걸어둔 수건을 잡았다.

수화기 너머로 코웃음 치는 소리가 들렸다.

"젊은 놈이 그렇게 건강 챙기는 거 난 아주 재수 없어……. 내가 문자로 주소 찍어 보낼 테니까 얼른 씻고 나와라.”

밤에 걸려 오는 전화는 좋았던 적이 없었다.

내일 아침 녹화가 있었지만 선배 개그맨 영일의 전화
에 나가지 않을 재간이 없었다. 영일 선배는 귀엽고 개구쟁
이 같은 외모에 때때로 짓궂은 행동거지로 사람들에게 친
근감을 주었지만 실제로는 막강한 권력을 가진 무리의 리
더였다. 아무리 이 바닥 환경이 바뀌었다 해도 ‘라인’과 텃
새는 여전히 존재했다. 영일 선배에게 굳이 밉보일 이유가
없었다. 주종관계를 중시하는 마초였지만 화통하고 심플
한 성격이라 잘 따르면 반드시 어떤 형식으로든 뒤를 챙겨
주었다. 부려먹을 대로 부려먹고 자기 잇속만 챙기는 선배
들이 결코 적지 않았기에 상우도 그런 면에서는 영일 선배
를 인정할 수밖에 없었다. 부침이 심한 방송업계에서 10년
넘게 톱을 지켰던 것도 기브 앤드 테이크가 확실해서일 것
이다.

상우는 호흡을 고르며 러닝머신을 천천히 멈춘 후 목
에 수건을 두르고 샤워를 하러 들어갔다. 욕실 거울엔 턱이
뾰족하고 볼에는 살점이라고는 좀처럼 안 붙어 있는, 작은
눈에 눈꼬리마저 올라간 무료해 보이는 남자의 얼굴이 뿌
옇게 비추고 있었다.

호텔 이야기

파인다이닝 식당 입구에서 식당 매니저가 상우를 먼저 알아보고 정중히 룸으로 안내했다. 영일 선배는 연배가 조금 위로 보이는 세 명의 남자와 둘러앉아 와인을 마시고 있었다.

"형, 저놈 왔네요."

영일 선배를 가운데 두고 캐주얼 차림의 두 남자가 앉아 있었고, 구석 자리에는 양복 정장을 입은 남자가 있었다. 아마도 라운딩을 하고 돌아오는 길 같았다. 보아하니 원맨쇼로 그들을 즐겁게 해주는 것에 지친 영일 선배가 가장 가까이 사는 자신을 불러낸 것임을 상우는 단박에 눈치챘다. 에너지를 절대 쓸데없는 데 사용하지 않는 영일 선배가 '연예인의 가면'을 쓰고 이토록 접대에 애쓰는 걸로 보아 보통 사람들은 아닌 게 확연했다. 영일 선배가 개그맨 중에서도 유독 대기업 회장이나 재벌 쪽으로 인맥이 넓다는 것은 뜬소문이 아니었다. 어쩐지 비싸 보이는 와인병들을 보며 상우는 오늘의 물주는 누구일까 가늠했다.

남자들은 상우의 인사를 받으며 연예인을 실제로 만났을 때의 흔한 반응을 보였지만 약간의 경계심과 긴장감도 내비쳤다. 상우는 그런 반응에 다소 익숙했다. 그것은 상우의 이미지가 영일 선배의 '착하고 친근한 동네 형' 이미지와는 정반대라는 점에서 기인했다. 상우는 매서운 인상에, 상대를 신랄하게 후벼 파는 독한 개그로 정평이 나 있었다. 그의 개그는 단순히 거친 말을 하는 식이 아니라 '팩트'를 바탕으로 한 통렬한 촌철살인이라며 추앙하는 마니아들도 있었지만.

"방송 잘 보고 있어요."

그래서인지 회장과 부회장으로 불리던 캐주얼 차림의 두 남자는 상우에게 의례적으로 명함을 건네고서 다시 영일 선배와 하던 이야기를 계속했다. 양복 정장 차림의 남자도 상우는 본 체 만 체 조용히 그들의 이야기에 귀 기울이며 이따금 고개를 끄덕였다. 그러다가 특정인에 대한 노골적인 뒷담화가 오가면 일부러 잠시 다른 쪽을 보거나 화장실에 가는 식으로 자리를 비웠다. 분위기를 띄우는 수고를 일정 부분 상우에게 기대했던 영일 선배는 여전히 이 상황을 자신이 모두 건사해야 한다는 현실이 짜증 나서 상우에게 대화에 합류하라는 뜻으로 눈을 굴렸지만 상우로서는 이 판독 불가능한 대화에 어떻게 합류해야 할지 도무지 가늠이 가지 않았다. 방송가의 높은 분들과 술을 마셔본 적은 있었지만, 이 남자들은 전혀 다른 세계에 사는 것처럼 보였다. 행여 말실수를 해서 영일 선배에게 누를 끼칠까 봐 걱정도 되었다.

호텔 이야기

"에잇."

영일 선배는 어느 정도 포기한 듯 웨이터를 불러 새 와인 병을 땄다.

외딴섬처럼 말없이 와인 잔만 입에 대는 둥 마는 둥 하던, 은테 안경을 낀 양복 정장 차림의 남자가 상우에게 뒤늦게 명함을 건넸다. 명함에는 '반이준'이라는 이름 옆에 생경한 이름의 투자자문 회사명이 적혀 있었다.

"제가 방송 일 하는 사람이라면 사석에선 별로 말하기 싫을 것 같습니다."

이준이 굳게 다문 입을 열면서 영일 선배 쪽을 힐끗 쳐다보았다.

"영일 선배처럼 사석에서도 똑같이 재미있는 개그맨들이 있는가 하면, 저처럼 말주변 없는 친구들도 있고요."

뒷머리를 긁적이며 상우가 대답했다.

"맞아, 사석에서 드럽게 재미없는 애들이 있어요. 저 놈이 한 성깔 하게 생겨선 낯을 가려요……."

귀 밝은 영일 선배가 그사이 더 벌게진 몰골로 혀를 차며 잠시 대화에 끼어들었다가 이내 양옆의 두 '형'에게로 주의를 돌렸다. 이준은 영일 선배를 향해 온화한 미소를 지어 보인 후, 저음의 차분한 목소리로 상우에게 물었다.

"윤상우 선생님은 어떻게 이 일을 하게 되신 거예요?"

"선생님이라뇨, 그냥 이름으로 불러주세요."

개그맨을 하게 된 이유에는 빤한 대외용 레퍼토리가 있었다. 어렸을 적부터 개그맨이 되고 싶었다, 소풍 때면 앞에 나가서 분위기를 쥐락펴락했다. 둘 다 틀린 얘기는 아니었지만 상우는 어쩐지 맨날 하는 그 말이 하고 싶지 않았다. 녹화 스케줄이 많았던 하루였고, 저녁에 운동까지 해서 몸이 노곤했다. 이준의 반짝이는 눈빛을 보고 있자니 더 형식적으로 대답하고 싶지가 않았다.

"어렸을 때 왕따였어요."

상우는 대수롭지 않게 불쑥 말했다. 이준은 처음엔 눈썹을 치켜세우다가 이내 엷은 미소가 얼굴에 고루 번졌다. 과연 그럴 수도 있겠다, 라는 표정을 보태며.

"흥미롭군요. 괜찮으시다면 그 시절 얘기를 조금 더 들려주실 수 있나요?"

"또래들보다 몸집이 작았어요. 입이 짧아 편식이 심했나 봐요. 화장품 가게를 했던 어머니가 밥을 잘 챙겨주지 못한 게 미안하셨는지 보약을 지어주셨는데 몰래 다 버려서 그 덕도 못 봤죠. 초등학교 고학년이 되면서는 덩치 큰 놈들이 저를 건드렸죠. 정확히 말하면 몸집이 작아서 건드린 게 아니라 체구는 작은데……."

호텔 이야기

상우는 잠시 말을 멈추고 검지로 자신의 얼굴을 가리켰다.

"인상이 더러워서 기분 나빴던 거겠죠. 용케 이 얼굴로 개그맨을 하고 있다 싶어요."

"그런가요. 저는 잘 납득이 되지 않습니다만."

이준이 안경을 추켜올리며 추임새를 넣었다.

"아무튼 몸집이 작고 인상도 더러웠던지라 애들한테 맞고 다녔어요. 그러던 어느 날 한참을 맞고 있다가 찔끔 웃기는 말로 반발을 했는데 그중 대장 노릇을 하던 애가 '어 이놈 봐라? 웃긴 놈이네'라면서 애들에게 그만하라고 말을 했고, 그때부터 상황이 완전히 바뀌었죠. 몇 달 뒤에 저는 그들 그룹에 끼어 같이 놀게 되었고 지금은 절친한 고향 친구들이죠."

"유머의 힘은 대단하군요. 근사한 재능인 건 맞지요."

"사실은 엄청 쫄았어요."

상우는 바로 어제 일처럼 심장이 쿵쾅거리던 그 감각을 잠시 되새겼다.

"실은 저도 초등학생 때 따돌림을 당한 적이 있습니다."

"대표님이요?"

이준이 부드럽게 미소 지으며 고개를 끄덕였다.

"공붓벌레라서 반 아이들이 싫어했죠. 아버지가 공부

에 대해 무척 엄격한 분이셨어요. 어머니가 생일에 친구들을 집에 부르라고 해서 모두에게 알리긴 했는데 결국 아무도 오지 않았어요. 제가 아이들한테 괴롭힘을 당한다고 생각하셨는지 어머니가 담임선생님과 면담도 하시고 그랬죠."

"……대표님이 반 아이들을 먼저 따돌린 거네요."

이준은 그 말에 껄껄 웃으면서 후련하다는 표정으로 몸을 앞으로 숙였다.

"윤상우 선생님은, 아니 상우 님은…… 직관력이 대단하시네요. 허를 찔린 기분입니다."

상우는 지적인 사람이라는 칭찬을 들은 것처럼 어쩐지 그 말이 생경하면서도 기분이 좋았다.

술자리는 타원형 테이블 중앙에서 끊임없이 와인을 마시던 세 남자의 만취로 마무리되었다. 시종일관 '저 새끼 괜히 불렀다'며 눈을 흘기던 영일 선배는 매니저의 부축을 받아 나갔고, 두 남자들도 비서들이 나타나 챙겼다. 이준은 자신의 고객인 두 남자가 차를 타고 갈 때까지 서서 배웅하더니 상우에게 짐을 덜어낸 듯한 가벼운 목소리로 물었다.

"혹시 괜찮다면 제가 다음에 연락드려도 될까요?"

상우는 눈을 깜빡이며 고개를 끄덕였다.

호텔 이야기

“어흐, 술이 안 깬다.”

다음 날 영일 선배는 방송 대기실 방문을 열고 들어와 한쪽이 푹 꺼진 소파에 드러누워 두 손으로 얼굴을 박박 비벼댔다.

“재벌 놈들하고 놀아주는 거 너무 지겹다. 아, 짜증.”

영일 선배가 투덜대며 티 테이블 위로 손을 뻗어 콜라 캔을 집더니 꼭지를 땄다. 누운 채로 탄산음료를 마실 줄 아는 무시무시한 사람.

“그럼 안 하면 되죠.”

상우가 녹화 대본을 뒤적이며 툭 던졌다.

“야 어떻게 사람이 좋아하고 잘 맞는 사람하고만 어울리냐. 이렇게 저렇게 알고 지내면 결정적 순간에 도움이 될 수도 있는 거지. 네놈은 융통성이라는 게 너무 없어.”

“맞아요, 제가 요령이 좀 없죠.”

상우가 삐딱하게 대꾸하자 영일 선배는 말이 더 많아졌다.

“네가 지금 무슨 생각하는지 아는데 야 그래도 어제 본 인간들은 진짜 양반이야. 너 내가 A 호텔 피트니스 다니는 거 알지? 거기 돈 좀 있다는 할배들은 무슨 연예인이 지네가 돈 주고 잔치에 부른 광대인 줄 알아요…… 코딱지만 한

중소기업 주제에 회장이랍시고 유세 떠는데 아이고 야 먼저 인사 안 한다고 사람 야리면서 지나가고…… 에휴, 그래서 다음번에 아는 척해줬더니 바로 또 헤벌쭉. 그럼 또 어떻게 되는 줄 아냐? 다음에 마주치면 내내 붙들고 쓰잘머리 없는 얘기나 해대요, 아오. 나는 암튼 생긴 게 문제야…… 인상이 오죽 선량해야지. 이러니 조금만 무뚝뚝하게 굴어도 바로 욕을 먹어요…… 넌 나랑 반대라 편하겠다.”

신나게 속사포처럼 쏟아냈다가 잠시 말을 멈춘 영일 선배의 입에서 꺼억, 트림이 시원하게 나왔다.

상우는 대본 예습을 멈추고 영일 선배의 맞은편으로 의자를 끌고 갔다.

“그런데, 그런 분들과 어울리면 구체적으로 뭐가 좋은 거예요, 선배?”

“신선하잖아.”

“신선……?”

“신기하달까. 태어나면서부터 부자인 인간들 말이야. 나 같은 촌놈이 아무리 아등바등 노력해도 가질 수 없는 어떤 여유 같은 거.”

“그리고요?”

“많이 배운 양반들이잖아. 한번은 하버드 나온 인간하고 술 좀 먹고 지냈는데 그 인간이 술만 먹으면 개가 되긴 했지만 머리 하나는 정말 끝내주게 돌아가더라고. 뭔가 차

호텔 이야기

원이 달라.”

영일 선배가 손바닥으로 자신의 머리 안은 텅텅 비었다는 시늉을 했다. 영일 선배가 좋은 점은 이런 솔직함 때문이다. 적어도 위선적이지는 않았다.

“또 뭐가 좋은데요, 선배?”

캐물을수록 뭐가 나올지 상우는 궁금했다.

“부자들이 자연스럽게 누리는 것들을 옆에서 같이 부담 없이 누리는 거지.”

“선배도 돈 많잖아요.”

“야, 그런 게 아냐, 쯧. 차원이 다르다니까…… 그리고 너희들하고 술 먹으면 맨날 나만 돈 내잖아!”

그건 사실이었다.

“스케일이 다른 배포가 끝내주는 거야. 누가 선뜻 1000만 원 넘는 빈티지 로마네 콩티를 까겠냐. 서울에서 가깝고 시설 좋은 골프장 부킹도 한 큐고, 예약 없이 못 들어가는 식당도 바로 들어가고, 비싼 선물도 툭툭 아무 때나 주고, 주식이나 펀드 정보 같은 거? 걔네들이 또 자기네보다 더 머리 좋은 전문가들을 굴리잖냐.”

상우는 바로 반이준 대표를 떠올렸다.

“그건 너무 계산적인 관계 아닌가요?”

누워 있던 영일 선배가 껄껄대며 상체를 올리고 바로 앉았다.

"야, 대체 내가 몇 번을 얘기해. 세상의 모든 인간관계는 거래야. 인간이란 종은 뭔가를 내줬으면 반드시 뭔가를 바라는 법이지. 조건 없는 호의란 존재하지 않아."

"좀 무서운 얘기네요."

"훗. 난 네놈의 이런 점이 좋아. 성질 드럽게 생겼으면서 의외로 백지같이 순진한 거. 넌, 내가 가진 놈들에게 빌붙어서 뭔가 득 보려는 것처럼 보이지? 그래서 같은 개그맨으로서 자존심 상하지? 다 알아, 새끼야."

"아니에요."

"난 그래도 사업한다면서 걔네들한테 돈 달라고 빌붙는 짓은 안 한다. 어디까지나 순수 친목이라고."

"다 좋은데요, 선배, 그럼 그분들은 뭘 바라고 우리 같은 사람을 만나는 거예요? 무슨 득이 있다고?"

영일 선배는 답답하다는 듯 남은 콜라를 다 마신 후 얼굴을 한껏 찡그렸다.

"물어볼 걸 물어…… 우리가 누구냐. 개그맨 아니냐. 재미있으니까 같이 노는 거지. 야, 생각해봐라. 다 가진 인간들이잖냐. 인생이 얼마나 지루하고 재미없겠니."

"그래요?"

상우가 미간을 살짝 찌푸리며 믿기지 않는다는 듯이 물었다.

"어, 완전. 그런데 개그맨들 부르면 분위기가 일단 업

호텔 이야기

되잖냐. 거기에다가 연예계 뒷얘기 좀 해주면 얼마나 재밌
어들 하는데…… 네가 그걸 몰라서 어젯밤 그렇게 꿔다 놓
은 보릿자루처럼 있었구먼. 하이고, 천하의 쓸모없는 놈."

영일 선배는 조금 전까지 베고 있던 눅눅한 쿠션을 상
우의 얼굴에 집어 던졌다.

◎◎

상우가 이준에게 전자우편을 받은 것은 보름이 지난,
장맛비가 내리던 어느 여름날이었다.

윤상우 선생님께,

일전에 김영일 선생님과 함께 뵈었던 반이준입니다.
그간 별고 없이 잘 지내셨는지요.
계절도 어느덧 하지를 지나 소서에 접어 들었습니다.
아무쪼록 건강에 유의하시면서 좋은 활동해주셨으면
합니다.

그날 뵈었을 때, 조만간 기별을 드리겠다고 말씀드리
고서 이렇게 뒤늦게 연락을 드리게 되어 송구스럽습니
다. 시간이 괜찮으시다면 가까운 시일 내에 만나 뵐 수

있을지 뜻을 여쭙니다.

부디 아래의 일정들을 살펴봐주십시오.

다시 만나 뵙게 될 날을 기다리며.

반이준 드림

　군더더기 없는 깔끔하고 정중한 서신을 읽어 내려가며 상우는 영일 선배가 말한 '신선함'이란 이런 것이 아닐까 어렴풋하게 생각했다.

◑

　그라프 호텔 정문 앞 우거진 숲에서 풀벌레 소리가 들려왔다. 고등학교를 졸업하고 서울에 올라오기 전, 매년 여름마다 들어왔던 정겨운 소리였다. 상우는 충분히 독립한 어른이 된 지금도 호텔에 들어설 때면 위압감을 느꼈다. 위압감은 선망이란 동전의 반대 면이기도 했는데 어렸을 때부터 익숙한 것이 아니어서 그런 것 같았다. 그라프 호텔은 처음이었지만 도시전설 같은 이곳의 이야기는 몇 번 들은 바 있었다. 남자 배우 B와 여자 가수 A가 밀회를 가지던 장소였는데 A가 몰래 만나던 남자 배우 C가 현장에 찾아와 아수라장을 만들어놓은 이야기, 내한 공연을 온 영국 팝스

타가 공연이 끝나고 기분이 좋아 만취한 채 한밤중에 로비 라운지로 내려가 즉석에서 피아노를 치며 노래를 불렀던 이야기 등. 그러나 막상 회전문을 열고 안으로 들어가니 이곳은 지나치게 '클래식'하다 못해 낡은 느낌마저 훅 풍겼다. 여기보다 세련되고 모던한 호텔은 얼마든지 있었을 텐데, 이준이 굳이 이곳에서 보자고 한 것은 의외였다.

약속 장소는 로비 층의 맨 구석에 숨어 있는 회원제 피아노 바였다. 이런 곳이 존재한다는 것을 상우는 처음 알았다. 방음 처리된 육중한 자주색 문을 열고 들어서자 층고가 높고 크림색 벽지와 간접조명만 켜진 입체적이고 아늑한 공간이 눈앞에 펼쳐졌고, 정중앙엔 검은색 스타인웨이 피아노가 놓여 있었다. 실크 소재의 깊게 파인 브이넥 은색 투피스를 입은, 40대 초반으로 보이는 여성 피아니스트가 듀크 조단(DUKE JORDAN)의 〈GLAD I MET PAT, TAKE 3〉를 연주하고 있었다. 손님들은 대개 중장년층 신사들로, 피아노 선율보다 낮은 목소리로 조용히 대화를 나누고 있었다.

맨 안쪽 창가 자리에 앉아 바깥 야경을 바라보던 이준은 상우가 온 것을 알아차리고 자리에서 일어나 한쪽 손을 들어 보였다.

"왜 여기로 불렀나, 싶으셨지요?"

착석하며 주변을 찬찬히 둘러보는 상우에게 이준이 대뜸 물었다.

"네, 조금 의외이긴 했어요."

검은색 정장을 입은 웨이터가 자리로 다가오자 이준은 맡겨둔 위스키를 가져와줄 것을 당부했다.

"이곳은 손님들이 가볍게 한잔하면서 피아노 연주를 들으러 오는 곳이라 선생님처럼 얼굴이 알려진 분도 불편하지 않을 것 같았어요."

"어유, 선생님 호칭은 하지 마시라니깐요. 제발……"

질색하는 상우를 보며 이준이 빙긋 웃으며 고개를 끄덕였다.

"그나저나 여기 너무 좋은데요. 저 같은 놈한테는 어울리지 않지만요."

"무슨 겸손의 말씀을."

"진짜로요, 이 호텔에 이런 곳이 있을 줄은 상상도 못했어요."

상우는 피아노 바 내부를 재차 둘러보았다. 기품 있으면서도 무겁지 않고, 질서와 균형이 잡혀 있으면서도 자유로운 기운을 놓치지 않은 독특함. 이런 분위기는 아마도 오

호텔 이야기

랜 세월 호텔과 손님이 함께 공을 들여야 가능했을 것이다.

"이곳이 제게 특별한 것은, 오랜 친구 때문이죠."

이준은 단상 위의 피아니스트에게 눈길을 옮겼다. 피아니스트는 예민하게 시선을 캐치하고 입술을 봉긋하게 움직여 이준에게 무언의 인사를 보냈다.

"이름은 솔미. 시립 오케스트라 소속으로 있다가 갑갑하다며 프리가 되었어요. 이 호텔에서는 5년째 연주했죠."

개그맨으로 치면 방송 출연을 하다가 일이 줄어 밤무대를 뛰는 것과 같은 맥락일까, 하고 상우는 잠시 생각했다. 그 생각을 고스란히 읽기라도 한 것처럼 이준이 덧붙였다.

"솔미의 연주를 여기서 들을 수 있는 건 참 영광이죠. 예전엔 연주회에 가야만 들을 수 있었으니까요. 게다가 저 친구 성격에 아마 다른 호텔이었으면 안 했을 거예요. 예술가에 대해 제대로 예우도 해주고, 무엇보다도 이곳은 애초에 철학 자체가 남다르니까요."

"그런가요?"

상우는 어떻게 남다르다는 건지 궁금했다.

"시내 한가운데라는 좋은 입지에 겨우 7층짜리 본관과 5층짜리 별관 건물만을 짓고 나머지 부지를 수영장과 잔디 정원, 산책로로 넉넉하게 배치했다는 건 오너가 수익 외의 가치들을 우선시했다는 뜻이죠. 건축가의 심미안을 전적으로 신뢰했다는 거고요. 평범한, 아니 상식적인 사업가라면 최대한의 수익을 내기 위해 가급적 건물을 높게 올렸을 테니까요. 이곳이 철거된다니 참 유감스러운 일입니다."

"여기, 문을 닫는다고요?"

상우가 눈이 휘둥그레져서 되물었다.

"그렇습니다, 아쉽게도. 오너가 제시한 매각 조건이 '다 철거시키고 새로 지을 것'이었다죠. 보통은 자기가 지은 걸 굳이 없애길 원치 않을 텐데, 여기 오너는 자신이 만든 것이 이상하게 바뀔 바에야 차라리 없애겠다는 입장이었죠. 본질을 흐트러트릴 바에야 차라리 없애겠다…… 보통 사람의 생각이 아니죠. 독특하고 어떤 의미에서는 대단한 오너입니다."

이준은 깨끗하게 면도한 턱을 만지작거리며 말했다.

"호텔이 없어지면 고층 건물이 올라서겠죠?"

"아마도요. 그것이 일반적인 재건축의 논리니까요."

시간이 지날수록 피아노 앞 기다란 카운터형 테이블에는 혼자 온 손님들이 하나둘 늘어갔다. 그들은 피아니스트 바로 앞에서 온더록스 한 잔씩을 들고 연주를 음미했다. 피아니스트는 연주 중간 중간 손님들과 스몰 토크를 나누었다. 그렇게 손님들이 낮에 겪었을 긴장과 스트레스를 조금씩 풀어주었다. 피아니스트는 눈에 띄는 미인은 아니었

호텔 이야기

지만 털털한 말투와 우아한 몸짓이 묘하게 잘 어우러져서 그것이 무척 매력적으로 비추어졌다.

이준과 대학 시절 연인 사이는 아니었을까 상우가 잠시 헤아려보는 사이, 피아니스트는 분위기를 바꾸어 드라마틱하게 〈SUMMERTIME〉을 연주하기 시작했다. 공간의 온도가 몇 도쯤 달아올랐다.

"그날 저녁 모임에서 인사드린 분들도 소위, 상식적인 사업가들이겠죠?"

"네, 수익을 내는 일에 관해서는 합리적인 분들이죠. 그런 분들이 사업을 하는 게 원래는 맞죠."

"그분들이 벌어들이는 돈은 일개 연예인인 저는 상상조차 못 하는 규모겠네요……"

"상우 님, 돈을 버는 방법에는 두 가지가 있어요."

순수한 호기심을 거리낌 없이 드러내는 상우에게 이준이 얼음 잔을 천천히 흔들며 입을 열었다.

"자신의 노동으로 돈을 버는 사람, 그리고 돈이 돈을 벌게 하는 사람. 저는 전자에 속하는 사람이고 그날 본 다른 두 분은 후자에 속하는 사람입니다. 부를 타고난 경우이지요. 전자의 사람이 열심히 노력해서 좋은 교육을 받고 좋은 기업에 입사하고 그 안에서 성공한다 해도 결국엔 후자의 사람이 돈을 더 벌게 돕는 역할을 하게 되죠. 후자에 속

한 사람들은 자식들 힘들게 입시 공부 안 시킵니다. 나중에 공부 열심히 한 사람들을 직원으로 두면 되니까요."

"그건 너무 불공평하네요."

"인생은 원래 불공평하지요. 제가 그랬고, 저의 아이들도 아마 저처럼 되겠지요. 그것도 운이 좋다면요."

이준은 다른 사람 이야기를 하듯이 담담하게 말했다. 상우는 점잖은 이준이 행간에 내비친 약간의 씁쓸한 악의를 들으며 그들의 테이블을 맴도는 공기가 문득 차갑게 바뀐 것을 느꼈다. 상우는 그 서늘함에 호기심을 느꼈다.

"같은 맥락이라고 할 수는 없겠지만…… 개그맨도 타고나길 천재적으로 웃기는 이들이 있어요. 노력해도 절대 넘을 수 없는 압도적인 개그 감각 같은 거죠."

"상우 님은 그런 걸 보면 화나거나 질투가 나요?"

이준이 부드럽게 물으며 위스키를 한 모금 마셨다.

"인간이니까 가끔 그러기도 하지만 대부분은 감탄하는 마음이 크죠."

"재능의 영역이니까 존경의 마음이 들 수도 있겠어요. 하지만 타고난 재력은 재능보다는 행운에 가깝겠죠. 재력을 키우는 재능은 주변 사람들의 몫이고요."

"대표님은 화나 질투가 안 나세요?"

상우가 훅 하고 같은 질문을 되돌려주었다. 이준은 새삼 흥미로운 양 잔잔한 미소를 지으며 잠시 숙고한 후 천천

호텔 이야기

히 다시 말문을 열었다.

"저는 그분들과 가까이 '일'을 할 뿐입니다. 그리고 일을 할 때는, 특히 돈을 다루는 일을 할 때는 가급적 선입견과 감정을 없애는 훈련이 사전에 되어 있어야 합니다. 돈 자체는 더러운 것도 깨끗한 것도 없으니까요."

"그래도 인간이니까 얄미울 때는 있지 않나요?"

"인간…… 인간을 향한 보편적인 측은지심의 관점에서 말하자면 재력을 타고난 분들도 나름의 고충이 있죠."

"……예를 들면?"

"상상도 못 하게 많은 사람들이 돈을 보고 접근해옵니다. 그런 의도가 없었다고 해도, 의식하지 못했어도 그런 경우가 많아요. 그만큼 돈의 힘은 크고 깊죠. 하지만 그분들도 그걸 익히 알면서 속아 넘어가줍니다."

"그건 왜죠?"

"친구가 연주를 하면 좀 들어주는 척이라도 해야지, 무슨 얘길 그렇게 심각하게 하고 있는 거야?"

옆에서 허스키한 여자 목소리가 들렸다. 대화에 열중하느라 휴식 시간이 된 것도 모르고 있었다. 솔미가 이준의 옆자리에 앉아 반갑게 이준의 어깨에 팔을 둘렀다.

"솔미야, 여기는 개그맨 윤상우 선생님이셔. 죄송해요, 이 친구 티브이도 뉴스도 안 보는 친구라……"

"영광이에요. 사람들을 웃게 하는 직업이라니, 너무 근사하네요."

솔미가 활기차게 손을 내밀며 악수를 청했다.

"이 피아노 바는 솔미 덕에 정재계분들, 저명한 예술가들로 넘쳐났었지요. 문 닫는다는 소문 이후엔 예전만큼 사람이 붐비지는 않지만요. 저라면 더 자주 올 것 같은데 말이죠."

예전의 분위기였다면 지금처럼 편안한 기분을 즐기지는 못했을 거라고 상우는 생각했다.

"아까 보니까 연주를 잠깐씩 쉬는 동안에도 손님들을 케어하시던데요, 힘들지 않으세요?"

이름 있는 피아니스트가 고객에게 그렇게까지 할 필요가 있는지 상우는 이해가 가지 않았다.

"오랜 단골들이니 모른 척할 수 없죠, 뭐. 다들 쓸쓸하고 심란해서 여기 오는 거니까……."

"이렇게 속도 여린 반면, 가끔 취객들이 소란을 피우면 피아노를 치다가도 멈추고 건너가서 '시끄러우니까 나가달라'고 제대로 혼낸다니까요. 대학 동아리 때도 보통이 아니어서 모두가 두려워했죠."

"야, 그런 얘기 하면 고상한 내 첫인상이 뭐가 돼……."

솔미가 이준의 팔뚝을 툭 치며 나무랐다. 자신은 여러 아르바이트를 하느라 제대로 누려본 기억이 없는 대학 시

호텔 이야기

절을 그들은 추억으로 간직하고 있었다. 상우는 티키타카를 하는 둘을 보며 그들이 사귀던 사이였는지는 중요하지 않다고 생각했다. 세월이 흘러도, 오랜만에 만나도, 자연스럽게 어우러지는 이성 친구가 있다는 것이 지극히 세련되어 보였다.

"혹시 듣고 싶은 곡 있으면 알려주세요. 첫 만남을 기념하며 연주할게요."

솔미가 자리에서 일어서며 상우를 향해 말했다.

"죄송해요, 제가 클래식이나 재즈는 잘 몰라서……"

"솔미야, 그럼 내 신청곡으로 대신해줘."

이준이 끼어들었다.

"오케이."

솔미는 어깨를 으쓱하더니 피아노로 돌아가 〈STAR-DUST〉를 연주하기 시작했다.

◍

그 후로도 이준은 상우에게 만나자고 연락을 했다. 두 사람은 대부분 그라프 호텔의 피아노 바에서 만났다. 대화를 나눌수록 둘 사이엔 여러 공통점이 있음을 확인할 수 있었다. 수컷들끼리 무리 짓거나 정치하는 것을 좋아하지 않고, 공과 사를 구분해서 사람을 만나기를 원하는 것, 여럿이 모이기보다 일대일 대화를 선호하는 것, 술은 과음하지 않고 다음 날 컨디션을 위해 두 시간 안에 일어서는 것, 골프를 좋아하지 않고 대신 테니스를 친다는 점 등. 어찌 보면 전형적인 한국 남자들의 사회성과는 엇나가는 성정들이었다.

초가을의 주말 아침, 두 사람은 처음으로 함께 테니스를 쳤다. 기온이 올라가기 전에 한 게임을 치고 벤치에 나란히 앉아 쉬고 있는데 상우가 불현듯 예전에 대답을 미처 못 들었던 질문을 다시 꺼냈다.

"참 예전에 여쭤다 만 것. 타고난 재력을 가진 '후자' 분들이요. 돈을 목적으로 접근하는 걸 알면서도 놔두는 건, 왜 그렇죠?"

"외로우니까요."

"네?"

상우가 놀라 되물었다.

"많은 걸 가진 사람들은 바로 그 점 때문에 외롭죠. 그렇다고 연민하는 것은 아닙니다. 어차피 사람들에게 돈을 빌려주고 못 받게 되어도 근본적인 타격을 받을 가능성이 없으니까요. 아니, 이럴 때는 외로움이 아니라 '심심함'이라고 해야 할까요."

이준이 이온음료를 마저 들이켜며 말했다.

호텔 이야기

"연예인들과 어울리는 것도……?"

그 말에 이준의 입꼬리가 슬며시 올라갔다.

"그건 조금 다른 차원이죠. 쉽게 만날 수 없는 분들이 니까요. 음…… 유명한 분들이니까 아무래도 친분을 자랑 하고 싶지 않을까요? 간혹 이성 관계로 이어지는 경우도 종종 있겠고."

"그러다가 관계가 어그러지거나, 문제가 생기진 않나 요?"

"그런 이야기들을 종종 듣습니다. 친하게 지내고 싶었 을 뿐인데 자기 사업에 투자해달라는 분들이 꼭 있다고요. 혹은 부탁할 일이 있을 때만 연락이 온다고요."

"아무리 돈이 많아도 그렇지, 무슨 돈 맡겨둔 은행도 아니잖아요."

"사실 투자면 그나마 다행인데 명분만 투자고 알고 보 면 파산 상태에서 돈을 빌리는 경우도 있죠. 하지만 금전적 으로 도움을 주면 결국 도와주고도 욕먹는 일이 생기더라 고요. 돈으로 도와준 사람들은 거의 100프로 다시는 연락 해오지 않아요. 부끄럽고 초라한 모습을 보여준 사람과는 더 이상 편하게 못 지내니까요."

"씁쓸한 이야기네요."

"그래도 부탁받는 입장이 부탁하는 처지보다 백배 낫 긴 하죠. 그렇지 않습니까?"

이준이 테니스 라켓의 틀어진 줄을 바로 맞추면서 혼잣말처럼 중얼거렸다. 솔직히 상우는 둘 다 되고 싶지 않았다.

그날 주차장에서 헤어지기 전, 상우는 그간 궁금했던 것을 단도직입적으로 불쑥 물었다.

"그럼…… 반 대표님은 왜 저에게 친절하게 대해주시나요?"

영일 선배가 놀리는 것처럼 자신이 그 정도로 순진하진 않았다. 기업 회장들을 상대하는 무척 바쁜 투자자문 회사 대표가 시간을 내서 굳이 자기를 만나는 건 무언가 의도가 있을 것이었다. 친분을 자랑한 적도 없었고 또 그럴 사람도 아니고, 설마 자신에게 연정을 품은 것도 아닐 테고 그렇다면……. 하지만 여태껏 만나는 동안 이준은 투자의 ㅌ자도 꺼내지 않았다. 불안이 기저에 깔린 상우로서는 그 불확실함에 조금씩 안절부절못하던 차였다.

뭘 그런 걸 묻느냐는 듯이 이준이 껄껄 웃었다.

"저야말로 상우 님이 왜 그런 질문을 갑자기 하시는지 몹시 궁금해졌습니다."

"저는 정말로 궁금해서 여쭤는 거예요. 대표님과 저는 사실 아무런 접점이 없잖아요. 나이도 직업도…… 아니 뭐 말하자면 서로에게 쓸모 같은 거요."

진지해진 상우의 표정을 보며 이준은 웃던 걸 멈추고

호텔 이야기

상우를 지그시 쳐다보며 말했다.

"……아무런 접점이 없어서 좋았던 거예요."

"아……?"

"아무런 접점은 없지만 상우 님과 저는 실은 비슷한 점이 많습니다. 저는 저와 같은 유형의 사람을 잘 알아보는 편이에요. 타인에게 이해받으려고 애쓰기보다 많은 것들을 혼자 어떻게든 집어삼키는 유형의 인간들이죠. 전혀 다른 일을 하고 있더라도 그런 사람들끼리는 말없이도 통하는 게 있다고 생각해요. 나이가 들어서 그런 사람을 만나는 건 귀하고 감사한 일이고요."

뜬구름 잡는 이야기를 하는 이준의 우아함에 상우는 숨이 막힐 것만 같았다.

"아니, 대표님 그러니까 제가 궁금한 건……."

눈을 감고 심호흡을 몇 차례 했다.

"네."

"왜 저한테는 일 얘기를 전혀 꺼내지 않으세요?"

"아……?"

이번엔 이준이 허를 찔린 표정이 되었다.

"저는 솔직히 언제 투자 얘기를 꺼내시나…… 계속 마음의 준비를 하고 있었단 말이지요."

속에 있던 말을 털어놓아 시원한 반면 원망하는 투로 말한 스스로가 부끄럽기도 했다.

"아이코, 제가 그것 때문에 상우 님을 따로 만난다고 생각하셨어요? 서운하네요. 하긴 우리 쪽 사람들 이미지가 좀 그렇긴 하죠. 저는 공과 사를 섞는 것을 좋아하지 않아요. 그건 마치 제가 상우 님을 만나서 '날 좀 웃겨봐'라고 하는 것과 같잖아요."

설명을 듣고 보니 그런 것도 같았다. 상우는 이준에게 늘 쉽게 납득당하고 말았다. 연륜인지, 내공인지, 아니면 단순히 지성의 격차인지는 모르겠지만.

"전 처음에 혹시 투자 건 때문에 연락을 주신 거라면 제가 잘 모르니까 좀 부담스럽겠다 싶었는데, 너무 아무 말씀 안 하시니까 슬슬 서운해지더라고요."

상우는 그간의 긴장이 스르르 풀려가는 것을 느꼈다.

"그러셨군요. 투자 얘기는 평소에 늘 하는 거니까 개인적으로는 지쳐 있기도 했어요. 하지만 혹시 원하신다면 상우 님 상황에 맞게 조언해드릴게요."

상우는 잠시 굴릴 수 있는 액수를 헤아려보다가 바로 고개를 저었다.

"아니에요, 대표님. 좀 전에 드린 말씀은 못 들은 걸로 해주세요."

그 말에 이준이 온화한 미소를 지었다.

"잘 생각하셨어요. 이쪽은 움직이는 액수가 크기도 해서 제게 맡기셔도 계속 신경이 쓰일 겁니다. 그런 측면에서

호텔 이야기

보면, 지금 한창 방송 일을 활발하게 하고 계신데 이런 문제에 신경이 분산되는 건 장기적으로 손해일지도 몰라요. 지금 하는 일에 집중하는 게 가장 바람직한 투자죠. 이런 얘기는 좀 꼰대 같지만, 설령 투자의 결과가 좋아도 쉽게 번 돈은 특히 젊은 분들에게 독 같은 거라고 생각해요. 아까도 말씀드렸지만 상우 님과는 일로 얽히고 싶지 않은 바람도 있고요. 그러면 이렇게 편안하고 즐거운 마음으로 못 뵙잖아요."

"혹시 제가 그만한 돈이 없다고 생각하셔서 그런 건 아닌가요?"

상우는 일부러 짓궂게 이준을 흘겨보며 투정하듯 물었다.

"설마요. 무슨 말씀을."

이번에는 이준이 서운한 눈빛으로 상우를 쳐다보았다. 하지만 상우는 그의 말을 믿지 않았다.

차를 운전하고 귀가하면서 상우는 아까 전 마음속 궁금증을 꺼낸 것을 후회했다. 이준의 말이 맞았다. 한번 돈 얘기를 하게 된 사이는 어떤 형태로든 예전의 관계로 돌아가기 힘들었다. 그날 이래, 반이준 대표는 상우에게 더는 연락하지 않았다.

일요일 저녁, 상우는 돌아오는 한 주를 위해 아무도 만나지 않고 집에서 온전히 쉬었다. 충분히 늦잠을 자고 일어나 가볍게 아침 식사를 챙긴 후 조금 거리가 있지만 신선한 농수산물이 있는 슈퍼마켓에 가서 채소와 생선을 고르고, 집에 돌아와 직접 요리를 해 먹으며 출연한 일주일 치 방송 녹화 분을 모니터했다. 처음에는 신경을 곤두세우며 자학과 반성을 거듭했지만 이제는 남의 방송을 보는 것처럼 초연하게 틀어놓고 볼 수 있게 되었다.

이런 평화로운 일요일을 보내려면 토요일 저녁에는 가급적 술자리를 가지지 않아야 했다. 토요일 저녁만 되면 동료 개그맨의 집에 모여 함께 폭음하는 이들도 여럿이었지만 상우는 그런 식으로 일요일의 루틴을 흐트러트리고 싶지 않았다. 일하면서 노상 만나는 이들과 쉬는 날에도 보고 싶지 않았고, 무리 짓거나 여럿이 모이는 것을 좋아하지도 않았다. 하지만 어제저녁은 예외였다. 이제는 아이 아버지가 된 초등학교 동창 친구 넷이 석 달 만에 일정을 맞춰 서울에 놀러 온 것이다. 친구들은 일부러 상우가 사는 동네 식당으로 약속 장소를 잡아주었고, 불편한 자리도 아니니 나가지 않을 이유가 없었다.

"윤상우!"

식당 안쪽의 별실 문을 열자, 깃을 세운 폴로 셔츠를 입고 야구 모자를 삐딱하게 쓴 정환이 맨 구석 자리에서 손을 흔들며 큰 소리로 상우를 반겼다. 초등학교 5학년 때 자신을 괴롭히던 무리의 대장이었다가 이제는 오래 묵은 친구가 되어버린 놈. 이미 맥주로 입가심한 터라 얼굴들이 울긋불긋했다.

"뭐하러 룸으로 잡았어? 여긴 돈 더 줘야 할걸?"

"걱정 마라. 니한테 내라고 안 한다. 니 편하라고 그런 게 아니라 우리 편하라고 그런 거다. 니가 어쨌든 연예인인데…… 사람들 와서 아는 척하고 귀찮게 굴면 우리가 편하게 밥 못 먹어."

정환의 말에 다른 친구들도 시끌시끌하게 동의했다. 친구들은 다행히 고향에서 가업을 잇거나 장사를 하며 돈 걱정 없이 살아가고 있었다. 부모님들이 하나둘 병치레를 시작한 것 외에는 별다른 불상사 없이 평화롭게 서른 중반의 턱을 넘어가고 있었기에 이렇게 꾸준히 모일 수 있는지도 모르겠다고 상우는 생각했다.

관계란 참 한 치 앞을 모르는 일이다. 초등학교 때는 학교 가기 싫을 정도로 자신을 따돌렸던 웬수들이었지만,

중고등학교에 들어가서는 자신을 누구보다도 보살펴주었던 친구들이었다. 방금 먹어도 돌아서면 배고프던 그 시절, 친구들은 자기 용돈을 쪼개 먹을 것을 사주었고, 일을 나가는 상우의 어머니를 대신해 친구들의 어머니들은 상우를 집으로 불러 자기 아들처럼 챙겨 먹였다. 상우는 진심으로 고마웠다. 혼자 서울로 진학하고 개그맨 시험에 합격한 상우와 고향에 남아 삶의 터전을 일군 친구들은 자연스레 관계가 소원해질 수도 있었지만 어렸을 적부터 나눈 미운 정 고운 정은 다행히 쉽게 사라지지 않았다. 보통은 티브이에 나오고 유명해지면 당사자가 바뀌거나 주변 사람들이 다르게 대했지만 상우와 친구들에겐 유명세나 성공 같은 건 그다지 상관이 없었다. 언제 어떻게 만나도 개구쟁이 시절 그때로 돌아갈 수 있었다. 상우는 이해타산이 없는 관계를 여태 이 나이까지 잘 유지할 수 있었음에 자신이 헛살지 않았다는 평온한 만족을 느꼈다.

오랜 세월을 함께한 친구들은 그간의 대소사를 시시콜콜 나누며 고기를 굽고 맥주를 마셨다. 많이들 같이 웃었다. 화장실에 가려고 나온 상우는 반쯤 열린 문틈으로 화통하게 먹고 웃고 떠드는 친구들을 바라보면서 그들의 보통 인생이 문득 부러워졌다. 상우는 자신의 일을 사랑했지만, 그 일을 둘러싼 환경에 대해서는 가끔 형언하기 힘든 위화

호텔 이야기

감을 느끼고 있었다. 개그를 짜서 무대에 서고 사람들을 웃기는 것, 그러니까 개그맨으로서의 실질적인 모든 일을 사랑했지만, '유명인'이나 '연예인'이라 발생하는 그 외의 일들은 몹시 성가시기도 했다. 상우는 가급적이면 후자의 부분과 무관하게 살고 싶었지만 개그맨으로 산다는 것은 어쩔 수 없이 번잡한 유명세를 감당해야 했다.

인생이 좀 더 심플해도 될 텐데.
일하고, 쉬고, 가족을 만들고, 이따금 오랜 친구들과 이렇게 놀러 다니고.
상우는 친구들의 존재가 새삼 귀하게 느껴졌다. 간만에 느끼는 익숙한 안도감에 가슴이 울컥하여 화장실을 다녀오면서 슬며시 먼저 밥값을 계산했다. 친구들 중 경제적으로 곤궁한 이는 없었으니 실례가 될 것도 아니고.

∞

영일 선배의 호출이 온 것은, 새벽부터 시작한 녹화를 마치고 저녁 식사 시간이 훌쩍 지나서야 귀가 중이던 차 안에서였다. 녹화장의 도시락이나 샌드위치가 먹기 싫어 공복 상태로 서둘러 집에 가고 있었는데, 낭패였다. 상우는 영일 선배의 강압적인 문자메시지를 읽으면서 그저께 만났던 오랜 친구들을 떠올렸다. 어쩌면 자신도 그들처럼 살아야 했던 게 아닐까. 뜻한 바 있어 이런 특수한 일을 하게 되었다지만, 이렇게 사는 것이 과연 맞는 것일까. 어떤 직업이라도 하고 싶은 일만 할 수 있는 것은 아니라지만 선배의 술자리에 불려 나가는 것을 과연 '일의 연장선'으로 인정해야 하는 것일까?

먹여 살려야 할 처자식이 있는 것도 아니고, 저축은 충분했으니…… 새로운 청사진을 그려볼 수도 있었다. 다른 공부를 시작해볼까.

"……철현아, 집 말고 나 여기 이 주소에 좀 내려줄래."

상우는 운전석의 로드매니저에게 주소가 찍힌 휴대폰을 건넸다.

종업원의 안내를 받아 들어간 일식당 룸에는 두어 달 전, 파인다이닝 식당에서 보았던 석 회장과 우아하고 귀염성이 있는 단발 곱슬머리의 여자가 영일 선배와 함께 앉아 있었다. 직업을 가늠하기 힘든 분위기의 여자였지만 행동거지로 봐서는 석 회장과 함께 온 여자 같았다.

"어서 와요. 양주원이라고 해요."

주원이 마치 오래 알고 지낸 사이처럼 먼저 인사를 건넸다. 여린 하이 옥타브의 목소리였다.

"야, 너 왜 이렇게 늦었어."

호텔 이야기

영일 선배가 나무라는 투로 말했지만 상우가 군소리 없이 나타나줘서 내심 다행이라는 눈치였다.

"많이 바쁘실 텐데 오시라고 해서 미안해요."

주원은 세상 그 누구와도 갈등을 겪어본 적 없을 앳된 미소를 지어 보이며 말했다.

"난 니 면상을 굳이 여기서도 보고 싶지 않았는데 석 회장님 사모님이 너를 하도 찾으셔서 불렀다. 영광인 줄 알아."

상우는 주원의 앞자리에 앉으면서 꾸벅 인사를 했다. 그러고는 빈 잔에 사케를 따랐다. 허기가 져서 눈앞이 핑 돌 것만 같았다.

"야, 너 왜 자작을……"

무례하다는 듯 영일 선배가 흠칫 놀라며 대놓고 나무랐다.

"에이, 저희는 먼저 시작하고 있었잖아요. 박력 있고 멋지신데요. 상우 씨, 제가요, 많이 팬이에요."

주원이 가슴에 두 손을 얹고 상우를 뚫어지게 쳐다보며 말하자 옆자리의 석 회장이 껄껄 웃어젖혔다.

"아무튼 우리 집사람은 취향 참 특이해……"

"그래서 형님 같은 분을 데리고 살아주시는 거 아닙니까."

영일 선배가 석 회장의 잔을 채워주며 적당히 받아넘

겼다.

　"상우야, 너 형수님께 지난번 녹화 때 홍영란이가 사고 친 얘기 좀 해드려. 아오, 그때 얼마나 골 때렸는지……?"

　상우가 녹화 때 넉살 좋은 개그우먼이 연출진들에게 '빅엿'을 먹였던 비화를 조금 과장 섞어 이야기하자 주원은 웃음보가 터져 어쩔 줄을 몰라 했다.

　"너무너무 재밌어요, 아 맞다, 잊어버릴 뻔했네."

　주원이 겨우 터진 웃음보를 추스르면서 테이블 위의 전화기를 들어 어딘가에 전화를 걸었다.

　"얘, 주연아. 나 지금 '그분'하고 같이 있는데 전화 좀 바꿔줄게."

　주원이 상우에게 전화기를 건넸다. 고등어회를 젓가락으로 집어 먹고 있던 상우는 씹던 것을 허겁지겁 위장으로 넘긴 후, 얼떨결에 전화기를 받아 들었다. 일면식도 없는 '아는 동생 주연' 씨는 건너편에 앉아 있는 여자 이상으로 상우의 팬임을 자처했으며 주원보다 더한 텐션으로 쉴 새 없이 혼잣말과 질문을 섞어 대화를 이어갔다. 그 모습을 주원은 내내 흐뭇하게 바라보고 있었다. 아무런 알맹이도 없는 대화를 한참 나눈 후에야 통화를 마치고 전화기를 돌려주자 주원은 중요한 일이 이제야 기억난 듯 흥분해서 말했다.

　"상우 씨, 다음에는 잊지 말고 홍영란 씨 좀 데리고 나

　　　　　　　　호텔 이야기

와봐요. 제가 식사 대접하고 싶다고 얘기해줘요. 너무 재밌겠다……."

"당신 갑자기 왜 그래. 왜 이렇게 사람이 제멋대로야."

석 회장이 아내의 천진한 충동성을 나무랐지만 진심으로 나무라는 것 같지는 않아 보였다. 노상 벌어지는 일이 분명했다.

"홍영란 그분 공 치시나? 같이 필드 나가도 좋고."

남편이 뭐라 하던 갖고 싶은 장난감을 향해 돌진하는 어린아이의 천진함. 영일 선배도 주원의 이런 급발진이 처음은 아닌지 멋쩍어하며 농을 던졌다.

"아무튼 우리 형수님 성격이 은근히 급해요. 맨입으로 그러는 거 있기 없기?"

상우는 갑자기 속이 답답해져서 잠시 양해를 구하고 자리를 빠져나왔다. 건물 밖으로 나오자 그제야 숨이 쉬어지는 것 같았다. 영일 선배가 문자로 '너 지금 어디야? 설마 간 건 아니지?'라고 보내왔지만 답신하지 않고 이제는 제법 차가워진 밤공기를 가슴 깊숙이 들이마셨다. 조만간 가을이 가려나 보다. 곤두섰던 신경이 한결 차분해졌다. 조금만 더 참아보자, 라고 다짐하는데 정환에게서 전화가 왔다. 편안한 목소리를 듣고 싶은 마음에 상우는 전화를 받았다.

"윤상우, 어젠 잘 들어갔냐?"

"어, 괜찮아. 너네도 잘 내려갔냐?"

"우리가 무슨 애냐. 간만에 뭉쳐서 잘 놀고, 잘 돌아왔다. 그런데 상우야."

정환의 힘찬 목소리가 갑자기 훅 풀이 죽어버렸다.

"응?"

"내가 어제 니한테 못 한 말이 하나 있다."

"뭔데?"

"하아…… 정말 이런 말은 참 내가 괴롭다……"

"왜? 어머니 편찮으신 거 더 안 좋아진 거냐?"

"아니, 어머니는 괜찮다. 그건 아니고…… 실은 내가 급전이 좀 필요해서 말인데…… 응, 그게…… 내가 처형 사업에 돈을 빌려줬는데 뭐가 꼬여서…… 아니 애들한텐 아직 얘기 안 했다. 뭐, 도움도 안 될 것 같고, 솔직히 내 주변에 너만큼 잘된 인간이 없다…… 너는 그래도 명색이 유명 연예인이잖냐?"

그러고서 정환은 대수롭지 않게 액수를 입에 올렸다. 상우는 정신이 번쩍 들었다.

전화를 끊고 나자 피로가 일시에 몇 배는 더 누적이 된 것만 같았다. 피곤한 몸 상태로 술과 날생선을 급하게 먹어서인지 체기마저 느껴졌다. 상우는 휘청대는 몸을 이끌고

호텔 이야기

다시 자리로 돌아왔다.

"선배, 저 몸이 안 좋네요. 죄송하지만 먼저 일어날게요. 나오지 마세요."

상우가 귓가에 대고 작게 말했다.

"왜, 먼저 일어나게요?"

주원이 아쉬워하며 일어서는 상우를 올려다보았지만 이내 다음을 밝게 기약했다.

"참, 연락은 나중에 영일 씨 통해서 하면 되죠? 다음에 꼭 다 같이 봐요."

영일 선배는 상우를 배웅하고 오겠다며 석 회장 부부에게 양해를 구하고 정문까지 함께 나갔다.

"오늘 많이 무리했네. 고맙다."

영일 선배가 상우의 어깨를 툭툭 치며 말했다.

"석 회장이 오늘 좀 기분이 안 좋아서 어찌어찌하다 보니까 저녁까지 먹게 됐어."

"……"

상우는 체기와 더불어 메스꺼움이 스멀스멀 올라오는 것을 느꼈다. 누군가의 기분은 모든 것들의 우선순위 맨 윗줄에 존재했다.

"너 반 대표 기억나지? 은테 안경 끼고 샌님같이 생긴 놈. 그때 왜 술 먹을 때 너네끼리 죽이 맞아서 소곤대고 그랬잖아."

"네."

그 후 이준과 따로 만난 일에 대해서는 영일 선배에게 말한 적이 없었다.

"혹시 그 인간이랑 그 후에도 연락 주고받았냐?"

영일 선배의 표정은 어느새 험악하게 변해 있었다.

"아뇨……"

"다행이다. 뭐 앞으로도 연락해올 일은 없겠지. 그 인간, 석 회장 포함 여러 사람들 차명계좌 관리해주던 사람인데, 그 돈 갖고 튀었단다."

"네에?"

"나도 잘 몰라. 그런 게 있어. 괜히 석 회장한테 끼어들어갔다가 나도 좀 뜯겼다. 아오 썅."

조금씩 불어오는 밤바람에 두 사람의 앞머리가 살랑살랑 휘날렸다.

"석 회장 형수가 알면 난리 날 일이 좀 있어서…… 아무튼 넌 별일 없었다니 그걸로 됐다."

상우는 서늘한 바깥공기에 잠시 진정되었던 속이 다시 날뛰는 느낌을 받았다. 뭐라고 더 묻기도 전에 불러둔 택시가 도착했고, 영일 선배는 등을 떠밀어 냉큼 상우를 차에 태웠다.

　　다음 날 저녁, 상우는 라디오 게스트 출연을 하나 마치고 그라프 호텔의 피아노 바를 찾았다. 육중한 자주색 문을 열고 들어가자 솔미가 언제나처럼 바 정중앙 무대에서 피아노를 치고 있었다. 상우는 피아노 앞의 일인용 카운터 테이블에 자리 잡고 앉았다. 혼자 조용히 술잔을 기울이며 음악을 음미하던, 한때 상우가 신기하게 바라보던 중년의 남자들처럼.

　　솔미는 상우가 찾아올 것을 예견이라도 한 듯, 지그시 눈을 맞췄다. 상우는 고개를 끄덕 숙여 그녀에게 인사했다. 상우는 보드카 온더록스를 마시면서 '원하면 투자 조언을 해주겠다'고 했다가 결국에는 말을 바꿔서 자기와 일로 엮이지 않는 게 나을 거라고 조곤조곤 그러나 맵게 말하던 이준의 모습을 떠올렸다. 한 뼘 더 거슬러 올라가 '어쩌면 대표님이 반 아이들을 먼저 따돌렸을지도 모른다'고 불쑥 말을 꺼냈던 자신과 그 지적에 터져 나온 이준의 호쾌한 웃음소리가 귓가에 맴돌았다.

　　연주가 한 타임 끝나자 솔미가 상우의 옆자리로 다가와 앉았다.

"왜 이렇게 오랜만이에요? 잘 지냈어요?"

환한 미소를 지어 보이며 솔미가 경쾌한 목소리로 물었다. 상우는 힘없이 고개를 끄덕였다.

"……혹시 연락받으셨어요?"

주어는 없었지만 질문의 뜻을 알아들은 솔미는 고개를 천천히 좌우로 저었다.

"과거도 미래도 없이, 조금 열심이고 조금 공허한 오늘만을 끝도 없이 살아가는 기분."

솔미가 먼 곳을 응시하며 혼잣말처럼 낮게 속삭였다.

"네?"

"반이준이 늘 입에 달고 살던 말이에요."

싱긋 눈웃음을 지은 후, 솔미는 훌훌 털고 일어나 다시 피아노로 돌아가 연주를 시작했다.　　　　　　　　　　〈終〉

THE END

작가의 말

지난 2021년 4월 10일 밤 11시 무렵, 나는 평소 달리던 코스를 벗어나 광화문 시청 앞의 한 호텔을 지나치고 있었다. 호텔 정문의 투명유리 너머로 한 남자 직원이 어둑어둑한 벨 데스크에서 홀로 야간 근무를 서고 있었다. 시내 한복판이었음에도 그곳만이 고립된 채 정적 속에 감싸여 있었다. 누가 보든 말든 그는 바른 자세로 서서 묵묵히 자리를 지키고 있었다. 무슨 생각을 하면서 서 있을까, 그를 둘러싼 고요하고 조금은 고독한 분위기가 여운을 남겼고, 언젠가는 그런 인물이 들어간 소설을 쓰고 싶다고 생각했다. 마음에 품고 지내다 보니 1년 후 정말로 쓰게 되었다.

몇 년에 걸친 감염병으로 많은 것들이 달라지면서 어떤 한 시대가 저물어버린 것 같다. 이제 그 시절은 두 번 다시 오지 않을 것을 기정사실로 받아들이고 있다. 어느덧 우리는 새로운 세상에 적응하도록 길들여지게 되었는데 그 광경을 지켜보면서 오랜 시간에 걸쳐 고유의 모습으로 변함없이 존재하는 일의 존엄을 생각했다. 불어오는 외풍을 견디면서 맞서거나, 몸소 서둘게 남기를 선택하는 이들의 마음을 상상했다. 이 단편소설집의 배경이 되는 가상의 공간, 그라프 호텔은 말하자면 그러한 장소이다.

뜻하지 않은 환경의 변화는 복잡하고 모순된 감정을 불러일으킨다. 집착과 상실감, 분노와 무력감, 불안과 의연함 같은 다양한 감정 속에서 우리는 붕괴하거나 정면 돌파하거나, 견디거나 놔버린다. 어떤 선택을 하고 어떤 상황에 맞닥뜨리게 되더라도, 그 모든 분투에는 저마다의 아름다움이 있음을 이제 나는 안다. 그중에서는 앞으로 나아가기 위해 직접 퇴로를 끊어버리는, 스스로에게 조금 잔인해지는 사람에게 특히 더 매혹을 느끼지만. 아무튼 우리 인생에서 어느 날 닥쳐오는 어쩔 수 없는 변화가 우리의 정신을 깊이 뒤흔드는 모습에 대해 쓰고 싶었던 것 같다. 유서 깊은 호텔의 예고된 마지막처럼, 각자의 인생에 찾아온 한 시절의 끝을 마주하면서 우리는 무엇을 부여잡고, 무엇을 놔

호텔 이야기

줘야 할까. 언제까지 저항하고 언제부터 받아들여야 할까. 우리는 지금 대체 어떤 시간을 살아가고 있는 것일까.

어느새 여섯 번째 소설이다. 쓰는 동안 분명히 몹시 힘들었을 텐데 '작가의 말'을 쓰는 시점이 되면 내가 언제 그렇게 힘들어했나 싶다. 아니 그 이전에 언제 어떻게 썼는지조차 가물가물하다. 다만 쓰는 과정 속의 기쁨만이 기억 속에 알알이 살아남아, 다시 또 쓰고 싶게 만들어준다. 순수한 기쁨은 순수한 고통을 담보로 하는 측면이 있는 것 같다.

《가만히 부르는 이름》과《태도에 관하여》를 함께 작업한 김준섭 편집자와 이기준 그래픽 디자이너가 이번에도 편집과 책 디자인을 맡아주셨다. 내가 그날 밤에 본 야간 근무를 선 호텔 직원처럼 이들은 자신이 하는 일에 대해 올곧고 주로 과묵하다. 두 분과 함께 일할 수 있어서 참 좋았다.

마지막으로 한결같이 나의 책을 읽어주시는 독자들께 깊은 감사와 애정을 보낸다. 이 책을 통해 새로 만날 독자들은 내가 이 첫 만남에 얼마나 설레는지 부디 알아주셨으면 좋겠다.

2022년 늦가을, 광화문에서 임경선

호텔 이야기

◎

©임경선, 2022

초판 1쇄 발행 2022년 11월 9일
초판 2쇄 발행 2022년 11월 11일
지은이 → 임경선

편집 → 김준섭
디자인 → 이기준
펴낸이 → 임경선
펴낸곳 → 토스트

출판등록 2021년 1월 7일 제2021-000002호
이메일 SLOWGOODBYE@NAVER.COM

ISBN 979-11-973465-3-8 03810